簡単だけど、だれも教えてくれない
77のテクニック

文章力の基本

阿部 紘久
Hirohisa Abe

日本実業出版社

はじめに

「文章を書くのは苦手だ」
「文章を書くのは苦痛だ」
と思っている人がたくさんいます。しかし私は、「基本さえ身につければ、文章を書くのは決して難しくない。それどころか、とても楽しい」と言い続けています。

世の中にはごく事務的な文章から、企画書、報告書、ビジネス・レター、プレゼンテーション原稿、さらには小論文、エッセーなどさまざまな種類の文章があります。しかし、「相手の理解と共感を得る」という目的はどんな文章にも共通しています。そのために踏まえるべき原理・原則も、大部分は共通していると私は考えています。文章の形が大きく異なっているように見えても、それぞれ別の書き方がある訳ではないのです。

その「すべての文章に共通する土台の部分」を、この本で明らかにしようと思います。それさえ身につければ、あらゆる文章が見違えるように明快に書けるようになります。逆に基本ができていないと、どんな文章もまともに書くことができません。

「企画書の書き方」「ビジネス・レターの書き方」などの目的別に細分化された本をひも解く前に、この本で文章力の土台をしっかりとつくってください。

私は15歳のときから、「何か感じたこと、考えたことがあれば、書いてみる」という習慣がつき、今もそれを続けていますが、本格

的に文章力を鍛えられたのは、ビジネスの世界においてでした。宣伝企画、国際事業企画、開発企画、経営企画と企画畑を歩いたからです。いずれも文章力が問われる職場でした。

通算すると25年間、国際ビジネスにも関わりました。その間に、海外3カ国で10年間合弁会社の経営にあたり、最後は日本にある米国系企業のトップも経験しました。国際ビジネスもまた、的確な言語表現力が問われる世界でした。

そのような巡り合わせから、ビジネスの現場で、
「実社会における、簡潔・明瞭な文章表現とは」
というテーマに関心を持ち続けてきました。きちんと考えを整理して表現できないことが、どれだけ仕事の妨げになっているかを痛感していたからです。

そのような実務経験の中で積み重ねられてきたノウハウが、この本には凝縮されています。ジャーナリスト、小説家、国語学者などが書いた文章読本とは、いささか色合いが異なると思います。

ビジネスを卒業してからは、大学で文章指導を始めて5年目に入りました。社会人の文章指導も行なっています。その間に『明快な文章』（くろしお出版）という本を書きましたが、今回は文章力の土台づくりに焦点を絞って、手軽に読める本をまとめてみました。

取り上げたのは、日頃、社会人と学生を指導していて頻繁に遭遇する問題ばかりです。ですから、ここに書かれたことさえ身に付ければ、文章の欠点が大幅に減るはずです。それによって企業内で若い人を指導している中間管理職の方や、学校で文章指導をしている先生方の負担も軽減されることを願っています。

この本は、主として若手・中堅ビジネスマンを対象に書かれたものですが、さまざまな文章に共通する土台をしっかり固めるというその狙いから、自ずと学生にとっても、あるいはベテラン社会人にとっても、役に立つものであると思います。

　本書では、「明快な文章を書くための 77 のヒント」を、社会人や学生が書いた豊富な文例とともに説明します。その 1 つひとつは極めてシンプルなものです。どうかリラックスしてページをめくってみてください。この実践的な指南書を、読み物としても楽しんでいただければ嬉しく思います。

2009 年 7 月

著者

CONTENTS

はじめに …… 1

第1章 短く書く

- ヒント!1　短く言い切る勇気を持つ …… 12
- ヒント!2　一度にたくさん運ぼうとしない① …… 14
- ヒント!3　一度にたくさん運ぼうとしない② …… 16
- ヒント!4　幹を1本1本立てていく …… 18

第1章のまとめ …… 20

コラム1　文章力とは？ …… 21

第2章 自然な正しい表現で書く

- ヒント!5　文の前半と後半をかみ合わせる① 主語と述語 …… 24
- ヒント!6　文の前半と後半をかみ合わせる②「こと」で受ける … 26
- ヒント!7　文の前半と後半をかみ合わせる③ 能動と受動 …… 28
- ヒント!8　文の前半と後半をかみ合わせる④ その他 …… 30
- ヒント!9　宙に浮いた言葉は書かない …… 32
- ヒント!10　旅行は「買う」ではなく「する」…… 34
- ヒント!11　文の形をシンプルにする …… 36
- ヒント!12　論理的に首尾一貫させる …… 37
- ヒント!13　因果関係をつかむ …… 40
- ヒント!14　「に」を正しく使う①「には」と「は」…… 43
- ヒント!15　「に」を正しく使う②「に」と「で」…… 45

ヒント!16	「に」を正しく使う③「に」と「を」 …… 47
ヒント!17	「を」を正しく使う①「を」と「で」 …… 50
ヒント!18	「を」を正しく使う②「を」と「が」 …… 51
ヒント!19	「で」と「の」の混入を避ける …… 53
ヒント!20	必要な「てにをは」を省かない …… 55
ヒント!21	言葉は習慣である …… 57
ヒント!22	本来の意味を考えて言葉を探す …… 61
ヒント!23	関連する言葉との混同を避ける …… 63
ヒント!24	「両立する」か、「両立させる」か …… 65
ヒント!25	「豊かになる」か、「豊かにする」か …… 66
ヒント!26	列挙するときは、品詞をそろえる …… 68
ヒント!27	話し言葉の影響を避ける①「なります」 …… 70
ヒント!28	話し言葉の影響を避ける②「いく」 …… 73
ヒント!29	話し言葉の影響を避ける③「なので」「結果」 …… 74
ヒント!30	話し言葉の影響を避ける④「ら」抜き言葉 …… 76
ヒント!31	話し言葉の影響を避ける⑤「濃い」「濃く」 …… 78

第2章のまとめ …… 81
コラム2 共通する要素の発見 …… 82

第3章 ［言いたいことを明確にする］

ヒント!32	概念（コンセプト）を整理する …… 86
ヒント!33	なるべくシンプルに整理する …… 89
ヒント!34	婉曲的に曖昧に漠然と考えない …… 92
ヒント!35	骨子を組み立て、段落に分ける …… 93

ヒント!36　同じ話はまとめて書く …… 95

第3章のまとめ …… 98

コラム3　国際ビジネスマンもまずは日本語の文章力を …… 99

第4章　分かりやすく書く

ヒント!37　読み手に頭を使わせない …… 102

ヒント!38　主役は早く登場させる …… 103

ヒント!39　修飾語は直前に置く …… 106

ヒント!40　「これ」「それ」は直前の言葉を指す …… 108

ヒント!41　読点は、意味の切れ目に打つ
　　　　　～読点がほしい10のケース～ …… 109

ヒント!42　省略された主語は変えない …… 122

ヒント!43　ぼやかして書かない …… 123

ヒント!44　明確な「つなぎ語」を使う …… 125

ヒント!45　何でも「ことで」でつながない …… 127

ヒント!46　箇条書きを活用する …… 129

ヒント!47　話は1つずつすませる …… 131

ヒント!48　キーワードを抜かさない …… 133

第4章のまとめ …… 134

コラム4　日本語は曖昧か …… 135

第5章　簡潔に書く

ヒント!49　いきなり核心に入る …… 138

ヒント!50　削れる言葉は徹底的に削る …… 141

ヒント!51	同じ言葉が続いて出てきたら、1つにする …… 144
ヒント!52	同じ意味の言葉を重複して書かない …… 147
ヒント!53	似たような言葉をたくさん並べない …… 151
ヒント!54	簡潔な表現を選ぶ …… 152
ヒント!55	意味のない言葉は書かない …… 153
ヒント!56	「これから説明します」「これから述べます」は不要 …… 155
ヒント!57	「なぜなら」「理由としては」なども省く …… 156
ヒント!58	「という」を削る …… 157
ヒント!59	余分なつなぎ語を削る …… 158
ヒント!60	余計な結びも書かない …… 159

第5章のまとめ …… 160
コラム5 「書くのが遅い」という反省について …… 161

第6章 共感を呼ぶように書く

ヒント!61	目に浮かぶように書く …… 164
ヒント!62	具体的なエピソードから入る …… 165
ヒント!63	感動を押しつけず、読み手自身に感じてもらう …… 166
ヒント!64	強調する言葉は控えめに使う …… 169
ヒント!65	持って回った表現、凝った表現は避ける …… 171
ヒント!66	自分の特徴についても事実に語らせる …… 172
ヒント!67	読み手をあまり待たせない …… 174
ヒント!68	読み手に謎をかけたまま終わらない …… 176
ヒント!69	読み手の期待を裏切らない …… 178

| ヒント!70 | 読み手の心の中に壁をつくらせない …… 180

第6章のまとめ …… 182

コラム6 想像力が決め手 …… 183

第7章 [表記とレイアウトにも心を配る]

| ヒント!71 | 句点は、文末のみに打つ …… 186

| ヒント!72 | セリフや考えを「　」でくくる …… 188

| ヒント!73 | カッコと句読点を適切に使う …… 189

| ヒント!74 | 漢字本来の意味から
離れた言葉は仮名で書く …… 192

| ヒント!75 | 横書きでも漢数字を使う言葉がある …… 194

| ヒント!76 | ホワイト・スペースを活用する …… 196

| ヒント!77 | ノイズの少ない文書をつくる …… 198

第7章のまとめ …… 202

コラム7 「訓読み」の融通無碍さ加減 …… 203

おわりに …… 205

カバーデザイン◎井上新八
イラスト◎福々ちえ
本文DTP◎ムーブ（川野有佐）

第 1 章

短く書く

# 短く言い切る勇気を持つ

> 不用意に、長く、長く書かないようにすること、それが明快な文章を書くために第一に留意すべき点です。思いきって句点（。）を打ち、話を1つひとつ言い切りながら、前に進めましょう。

次の例を、網かけ部分に注意して読んでみてください。

原文▶ 最近、あるコンビニは、店舗内で焼き上げたパンの販売を始め、自然志向・健康志向の製品を中心とした品ぞろえは、従来のコンビニとは一線を画したものであり、20代、30代の女性をターゲットに新機軸を打ち出している。

改善▶ 最近、あるコンビニは、店舗内で焼き上げたパンの販売を始めた。自然志向・健康志向の製品を中心とした品ぞろえは、従来のコンビニとは一線を画している。20代、30代の女性をターゲットに、新機軸を打ち出している。

最近の話し言葉は、最後まで言い切らないのが流行のようです。
「私は、そう考えていて……」
で発言を終える人もよくいます。
そういうとき、「私は、そう考えています」と勇気を持って言い切ろうよ、と声をかけたくなります。

左の例文のような場合にも、何となく「を始め……」「ものであり……」と続けていかずに、思いきって短く言い切りましょう。言い切ることをためらって、次から次へとつなげて書いてしまうと、読み手にとっては、分かりにくい文章になってしまいます。

　次の例は、「理由は２つある」というのですから、それを１つひとつ言い切って話を進めれば、分かりやすくなります。

▶ | ギリシャに住みたい理由は２つあり、１つ目はギリシャの人々の温かさとゆったりとした生活に惚れたから、そして２つ目はギリシャの真っ青でどこまでも続いている海と空、そしてその青に映える真っ白な家々、そんな景色が大好きだからである。

⬇

▶ | ギリシャに住みたい理由は２つある。１つ目は、ギリシャの人々の温かさとゆったりとした生活に惚れたからだ。２つ目は、ギリシャの真っ青でどこまでも続いている海と空や、その青に映える真っ白な家々などの景色が大好きだからである。

　日本人には、断定することをはばかる傾向があります。はっきり言い切ってしまうと、その言葉に責任を持たなければならないと恐れる心理もあるかもしれません。しかし、逃げ腰でいたら、明快なコミュニケーションはできません。

一度にたくさん運ぼうとしない①
（荷物は、何回かに分けて運ぶ）

　文章は情報を載せて運ぶ伝達手段（vehicle）ですが、多くの情報を１つの文に詰め込んで、一度に全部を伝えようとすると、読み手に大きな負担をかけてしまいます。「欲張って一度にたくさん運ぼうとしない」ことが大事です。

　次は、いろいろな情報が１つの文に詰め込まれている例です。

原文▶ 総面積５万坪の我が社の工場は、今から25年前、社長が32歳のとき、画期的な基本技術を見出し、わずか５坪のプレハブの実験室で開発を始め、それを２人の仲間が支えて製品化に成功し、その後急成長した結果生まれたものである。

改善▶ 今から25年前、社長が画期的な基本技術を見出し、わずか５坪のプレハブの実験室で開発を始めた。32歳のときであった。それを２人の仲間が支えて製品化に成功し、その後急成長を遂げた。現在の工場の総面積は、５万坪に達している。

　改善案では、たくさんの荷物を４回に分けて運びました。最初に「社長が開発を始めた」という重要な契機を説明した後、句点を打って一度着地しました。そこには「25年前」「基本技術の発見」「５

坪のプレハブ実験室」という情報も付加されていますから、1つの文が運べる情報量としてはこのあたりが限界です。

　次に、当時の社長の年齢だけを説明しました。このような短い文が間に入ると、読み手はホッと一息つきます。リズムに変化も生まれます。

　次に、2人の仲間の協力と急成長について書いてまた着地し、最後に「総面積は5万坪」と付け加えました。
　総面積の話は、原文のように冒頭に修飾語として持ってくるのではなく、話の全体像が分かった後に付け加えるのが適切だと思います。最後に書いたからと言って、印象が薄くなることはありません。むしろ逆です。

一度にたくさん運ぼうとしない②
(ときには、一部を運ぶのをあきらめる)

文章を書いていて多少なりとも込み入った感じになってしまったら、いくつかの文に分けてみます。そして相対的な重要度を再点検し、主題から外れたものを思いきって省くと、伝えたいことがよりストレートに伝わります。

次の文章は、長年インドネシアで勤務した経験のあるビジネスマンが書いたものですが、前項の例と同じように1つの文にたくさんの情報が盛り込まれています。

原文▶ 最近の中東情勢に促され、かつ、イスラームの国々は地球の温暖化や、日常生活に関わりの深い産油国が多いことから、彼らの精神的支柱となっているイスラームについて、最大の教徒を持つインドネシアに在勤したよしみで取りまとめてみました。

この骨子（要点）を順に書き出してみると、次のようになります。

①最近の中東情勢に促されてこれを書いた。
②イスラームの国々は、産油国が多い。
③石油は、地球温暖化や日常生活に関わりが深い。
④中東諸国の人々にとって、イスラームは精神的支柱になっている。
⑤私は最大のイスラーム教徒を持つインドネシアで勤務したことが

ある。
⑥だからイスラームについてまとめてみた。

つまり、1つの文に6つもの荷物が積まれていたのです。
その中で、石油や地球温暖化の問題は大事ではありますが、「イスラームが人々の精神的支柱となっている」という主題とは直接関係がないので、ここでは思いきって省く案もあると思います。
一方で、冒頭の「最近の中東情勢」については、もう少し具体的に書きたいところです。

結局、石油の話を省き、「中東諸国の人々の精神的支柱となっているイスラーム」の話と、「最大のイスラーム教徒を持つインドネシア」の話を別の文に分けて、以下のように書いてみました。

> **改善▶** 2001年の米国同時多発テロを契機に、中東諸国の人々の精神的支柱となっているイスラームについて強い関心が持たれるようになりました。私はかつて最大のイスラーム教徒を持つインドネシアに在勤したよしみがありますので、イスラームについて取りまとめてみました。

(現状)

(具体性)

幹を1本1本立てていく

> 文章には幹があり、そこに枝葉が付いています。枝葉ばかりが見えて、幹がなかなか見えない文章は、明快な文章とは言えません。

　たとえば、「彼は、彼女に結婚を申し込んだ」というのが文章の幹で、「いつ、どこで、どのような言葉を使って、どのような状況で（たとえば雪の降る夜に）……」というような描写が、枝葉なのです。

　言い換えますと、5W1H——Who（誰が）、What（何を）、When（いつ）、Where（どこで）、Why（なぜ）、How（どのようにして）——のうち、まずは「Who（誰）」と「What（何）」に絞って、述語との関係（どうしたのか）を明確に読者に示すべきなのです。それが、文章の幹です。

原文▶ 私の目が悪くなったのは、（父が大好きな）テレビゲームのやり過ぎが原因だ。

　これは短い文ではありますが、「私が」という話と、「父が」という話が同時に語られているので、読む人は一瞬考えねばなりません。これを次のように書き換えると、読むそばからスラスラ分かる文章になります。

> **改善▶** 私の目が悪くなったのは、テレビゲームをやり過ぎたからだ。元々父がテレビゲームが大好きだった。それに私が影響されたのだ。

　つまり、「(テレビゲームのために) 私の目が悪くなった」「父がテレビゲームが好きだった」「私は父に影響された」という3本の幹に分けたのです。そうすれば、どの幹もはっきり見えます。

　次の文は、ある企業の月報の中にあったものです。

▶ 統計学講習会が6月20日に東京本社で実施されることを受け、受講希望者を募り20名を選んだ。

⬇

▶ 統計学講習会が6月20日に東京本社で実施される。その受講希望者を募り20名を選んだ。

　このような場合に、「ことを受け」というような言葉で2つの文をわざわざつなぐ必要はありません。

　文をこのように分けた場合、間に何かつなぐ言葉(「よって」「そのため」「そこで」など)がいるのではないかと考える人もいますが、それは多くの場合不要です。話の内容がつながっていれば、読み手は頭の中で自然につなげて読んでくれます。

　実は、この第1章で示した改善案は、どれも幹を1本1本立てて行った例でもありました。そうすれば、文章はとても分かりやすくなります。

第1章のまとめ

- 句点(。)を打って文章を短く言い切る勇気を持つ。

- 一度にたくさんの情報を運ぼうとしない。何回かに分けて運ぶ。あるいは、一部を運ぶのをあきらめる。

- 文章の幹 〜 誰(何)がどうしたのか 〜 を、まず明確に示す。

　英語などの西欧語は述語(結論)が早い段階で登場しますが、日本語は多くの場合それが文末にきます。ですから、1つの句点が終わった後に書かれたことをすべて記憶したまま次の句点までこなければ、意味が取れなくなってしまいます。だから長い文章は、頭が疲れるのです。

　英語はまた、最初に文章の主要な骨組み(幹)を示し、補足的な説明は関係代名詞などを用いて後にどんどん付け加えていくことができます。ですから、文章が長くなっても読み手に記憶の負担をかけることがあまりありません。

　このような特徴を考えると、日本語の場合には特に「短く言い切る」配慮が必要なことが分かります。

文章力とは？

　文章力は、単に言葉を巧みに操る力ではありません。何よりも大切なのは、「自分の考えを組み立てる力」です。次いで大切なのが、「相手（読み手）のことを理解する力」です。そして最後に出番がくるのが、「的確な言語表現力」です。

　これらは社会人として、学生として、あるいは人間として、さまざまな可能性を広げてくれる基礎的、総合的な能力です。

　もう少し具体的に考えてみますと、文章力は次の7つの要素から成り立っています。

①よいテーマを見つける「着想力」
②テーマに関わるさまざまな事象に連想を広げる「連想力」
③その中で書くべきことを峻別（しゅんべつ）する「優先順位の判断力」
④書くべきことを「構造的に把握する力」（脈絡なしに言葉を並べても、読み手は理解してくれません）
⑤そこに自分独自の考えを加える「創造性、独自性」
⑥読み手の立場、心情、知識レベルなどを理解する「人間理解力」
⑦言わんとすることを、読み手に伝わる簡潔・明瞭な言葉で表現する「言語表現力」

　このように整理してみると、文章力は、問題発見能力、問題解決能

力、業務遂行能力などと大きく重なり合うものであることが分かると思います。ですから、「私には文才がないので」「文章を書くのは苦手なので」と簡単に片づけられる問題ではありません。

しかし、どうかあまり難しく考えないでください。文章を書くことは、とても楽しいことでもあります。そこには少なくとも3つの喜びがあります。
「表現する喜び」
「理解と共感を得る喜び」
「相手や組織や、ときには自分自身にも変化をもたらす喜び」
です。

一般の人々に求められるのは、「事実関係」と「自分の考え」を、「簡潔・明瞭に伝える文章」です。それがたとえ業務上の文章であっても、的確な表現にたどり着いたときには、上の3つの喜びを味わうことができます。
「明快な文章」は、読む人に好まれるばかりでなく、書く人にとってもとても快いものなのです。

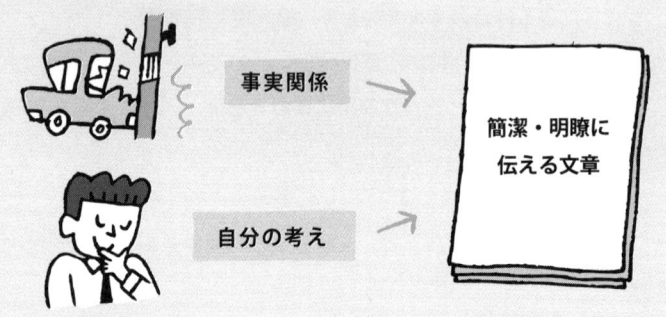

第2章

自然な正しい表現で書く

文の前半と後半をかみ合わせる①
(「誰が何をしたのか」「何がどうしたのか」)

　文の前半と後半がミスマッチに陥ることのないようにしましょう。間を抜かして、最初と最後だけを続けて読んでみて、「誰が何をしたのか」「何がどうしたのか」という関係を確認してください。

原文▶	社長の言い分は、パートの人が勝手にやったと責任逃れをして、自分たちを守ろうとしていた。

改善▶	社長は、パートの人が勝手にやったと責任逃れをして、自分たちを守ろうとしていた。

　「社長は、責任逃れをした」「社長は、自分たちを守ろうとした」です。「言い分」自身が責任逃れをしたり、自分を守ろうとした訳ではありません。

原文▶	ロンドン留学の経験は、自分をさまざまな角度から客観視できた。

改善▶	私は、ロンドンに留学したことによって、自分をさまざまな角度から客観視できた。 または ロンドン留学の経験は、自分をさまざまな角度から客観視する機会になった。

この例の場合は、「私は、客観視できた」であって、「経験は、客観視できた」ではありません。
　「経験は」と始めるのなら、「客観視する機会になった」と受けます。

▶　アメリカから出した手紙は、友達の中でＡ君１人だった。
　　　　　　　　　　⬇
▶　アメリカから手紙を出した友達は、Ａ君１人だった。

　ここでは、「手紙は１人」ではなく、「友達は１人」でしょう。

▶　日曜日の練習は、全部員が一斉に練習できる貴重な日である。
　　　　　　　　　　⬇
▶　日曜日は、全部員が一斉に練習できる貴重な日である。

　言いたかったのは、「日曜日は貴重な日だ」ということでしょう。「練習は、貴重な日である」では、ミスマッチになってしまいます。

文の前半と後半をかみ合わせる②
(「こと」で受ける)

「私はせっかちです」は正しい表現ですが、「私の特徴は」ときたら、「せっかちなことです」と受けます。

原文▶	彼女の特技は、計算が速いです。➡
改善▶	彼女の特技は、計算が速いことです。

▶ 彼の長所は、計画を立てるのが上手だ。➡
▶ 彼の長所は、計画を立てるのが上手なことだ。

▶ 本来、マスコミは情報を伝える役割である。➡
▶ 本来、マスコミの役割は情報を伝えることにある。

このように、「特徴は」「特技は」「長所は」「役割は」のように誰(何)かの「属性」について述べるときには、「こと」で受けます。名詞の形にするためです。

原文▶	文章を書く上で第一に留意したい点は、文章を短くまとめる。
	⬇
改善▶	文章を書く上で第一に留意したい点は、文章を短くまとめることだ。

この場合も、「留意したい点は、まとめる」では、前半と後半がかみ合っていません。

▶ もし、宝くじで100万円が当たったらどうするだろう。最初に頭に浮かんだのは、映画「プリティ・ウーマン」のように1日を贅沢に使ってみたい。

⬇

▶ もし、宝くじで100万円が当たったらどうするだろう。最初に頭に浮かんだのは、映画「プリティ・ウーマン」のように1日を贅沢に使ってみたいということだった。

　「留意したい点は」「頭に浮かんだのは」なども、「こと」で受けます。

# 文の前半と後半をかみ合わせる③
(能動と受動)

> 「彼は、法律を守っている」
> 「会社では、法律が守られている」
> このような能動と受動(受身)の形を、的確に書き分けましょう。

原文▶ この報道は明らかに、加害者だと疑われた人の人権が損なわれている。

改善▶ この報道は明らかに、加害者だと疑われた人の人権を損なっている。

「報道は(が)人権を損なう」です。「損なわれる」という受身を使ってしまうと、文の形になりません。

▶ 高級料亭Aの行為は、食品衛生法が守られていなかった可能性が高い。

▶ 高級料亭Aでは、食品衛生法が守られていなかった可能性が高い。
  または
  高級料亭Aは、食品衛生法を守っていなかった可能性が高い。

　法律を守ったり守らなかったりするのは、人間やその集団ですか

ら、「彼らが守る」「彼らによって守られる」という表現が成り立ちます。しかし左の原文のように人間ではない「料亭Aの行為」を主語にするなら、次のような表現になります。

▷高級料亭Aの行為は、食品衛生法に反していた可能性が高い。

　この「反する」は、下の表のように自動詞ですから、受身はありません。
　次は、「決める」と「決められる」を使い分けた例です。最後の「決まる」には、受身はありません。

原文▶	国際オリンピック委員会は、次の開催地はまだ決まっていない。
改善▶	国際オリンピック委員会は、次の開催地をまだ決めていない。
	または
	国際オリンピック委員会で、次の開催地はまだ決められていない（または　決まっていない）。

（注）他動詞、自動詞という文法用語を使って整理すると、次のようになります。

	能動態	受動態（受身）
他動詞	守る、損なう、決める	守られる、損なわれる、決められる
自動詞	反する、決まる	（「降られる」「死なれる」などに限られる）

文の前半と後半をかみ合わせる④
（目的語と述語、仮定とその結果）

　その他のミスマッチの例をあげてみます。文章を書いたら、頭とお尻が泣き別れになっていないかを常にチェックする習慣をつけましょう。途中に挿入句が入ると、特にこの問題を見落としがちです。

原文▶	お客様から受ける質問には、正確な返答でなければならない。

改善▶	お客様から受ける質問には、正確な返答をしなければならない。

　「質問に返答する」が、正しい組み合わせです。「質問には、返答である」では、文の形になりません。

▶　自分で稼いだお金で、好きなものを買ったり、仲間と遊ぶ資金にする。

▶　自分で稼いだお金で、好きなものを買ったり、仲間と遊んだりする。

または

　自分で稼いだお金を、好きなものを買ったり、仲間と遊んだりする資金にする。

「そのお金で遊ぶ」か、「そのお金を、遊ぶ資金にする」かです。

▶ 部長のところに直談判した。

⬇

▶ 部長に直談判した。
　または
　部長のところに直談判に出かけた。

「ところ」を「部屋」と言い換えてみると、「部長の部屋に直談判した」ではおかしいことが分かるでしょう。

次は、「こうすれば、こうなる」という関係です。

原文▶ 昼食時にその活動を行なうことにより、時間の有効利用とも言えます。

⬇

改善▶ 昼食時にその活動を行なうことにより、時間を有効に使うことができます。
　または
　昼食時にその活動を行なえば、時間を有効に使えます。

宙に浮いた言葉は書かない

> どこにもつながらない言葉は、書かないようにします。

次の例では「上司の助言は」がどこにもつながらず、宙に浮いてしまっています。

原文▶ 上司の助言はもちろん、同僚とも議論し、何度も計画を練りました。

⬇

改善▶ 上司の助言を求めたのはもちろん、同僚とも議論し、何度も計画を練りました。

「助言」を「求めた」「得た」「いただいた」などの言葉があって初めて後につながります。

次の文では、「店構えと」がどこにもつながっていません。

▶ 今やコンビニはそのコンパクトな店構えと、買い手のニーズをつかむことができる店として、多種多様なところで出店している。

⬇

▶ 今やコンビニはそのコンパクトな店構えと、買い手のニーズをつかむ品ぞろえやサービスを活かして（または 武器にして）、多種多様なところに出店している。

改善案では、「コンパクトな店構え」と「品ぞろえやサービス」の両方が、「活かして」「武器にして」につながっています。

　このように見てくると、**宙に浮いた言葉がある文章とは、「必要な述語が脱落している文章」「適切な述語で受けていない文章」だと言うことができます。**

▶ 友達に連れて行ってもらった渋谷は、若者たちと高層ビルやお店など、小さな鉢に何十種類もの花をびっしり植え付けたような息苦しさを感じた。

⬇

▶ 友達に連れて行ってもらった渋谷は、高層ビルやお店などが密集し、その間に若者たちも群れていて、小さな鉢に何十種類もの花をびっしり植え付けたような息苦しさを感じた。

　ここでは、「若者たち」「高層ビル」「お店」のいずれもが後につながっていませんでしたので、「密集し」「群れていて」という言葉で受けてみました。

▶ 私は文章を書くときに、考えがまとめられない、あるいは言いたいことがうまく伝えられず、苦労することがあります。

⬇

▶ 私は文章を書くときに、考えがまとめられず、あるいは言いたいことがうまく伝えられず、苦労することがあります。

　この例では、「考えがまとめられない」が宙に浮いていました。

ヒント10 旅行は「買う」ではなく「する」
（述語の共用にご用心）

「時間もお金もかかる」「山や海や空を眺める」のような場合には、「かかる」「眺める」という1つの述語をいくつかの言葉が共用することができます。

しかし、たとえば次のような文は、適切ではありません。

原文▶ 豪邸や世界旅行や超高級車を買いまくるなど、贅沢の限りを尽くしていた。

⬇

改善▶ 豪邸や超高級車を買いまくり、世界旅行をするなど、贅沢の限りを尽くしていた。

これは、宝くじが当たった人の話です。「豪邸」「世界旅行」「超高級車」という3つの言葉をすべて「買いまくる」という述語で受けていますが、「旅行を買いまくる」とは言いません。

▶ 朝会では、諸連絡や配布物が配られます。　➡
▶ 朝会では、諸連絡が行なわれ、配布物も配られます。

「配布物が配られる」は適切ですが、「連絡が配られる」は変です。

▶ 生活習慣病や高齢化社会が進んでいる。　➡

▶ 高齢化が進み、生活習慣病が増えている。

　いくつかの主語や目的語を並べた場合、最後にきた言葉にふさわしい述語1つで全部を受けてしまおうとしがちですが、1つひとつの言葉に応じて、述語を丁寧に書き分けましょう。

▶ 感謝祭の日にアメリカ人の家庭に招かれ、行事の由来や特別な食べ物を一緒に経験させてもらった。

⬇

▶ 感謝祭の日にアメリカ人の家庭に招かれ、行事の由来を教えてもらい、特別な食べ物を一緒に味わった（または　食べた）。

　これも、「由来を経験する」は、適当ではありません。「食べ物を経験する」もいささか大雑把です。
　「由来を教えてもらう」「食べ物を味わう（または　食べる）」などと適切な言葉で受けましょう。

文の形をシンプルにする
(述語を2つ重ねない)

ヒント11

前項では述語を丁寧に書き分けましょうと言いましたが、逆に1つの述語ですむところで2つの述語を重ねてしまうと、おかしな文になってしまいます。

原文▶	小さな気遣いも大事だと思ったのは、アルバイトの経験から感じるようになった。
	↓
改善▶	アルバイトの経験から、小さな気遣いも大事だと感じるようになった。

前半に「思った」という述語が書かれています。その上に「大事だと思ったのは、……感じるようになった」と、2つ述語を重ねると、文の形になりません。

文の形を複雑にしていいことは何もありません。「誰が（何が）どうなのか」「誰が（何が）誰に（何に）何をしたのか」などを表わす文の幹（主語＋述語）は、常にシンプルなものにしましょう。

ヒント12 論理的に首尾一貫させる

「論理」と言うと難しいと感じるかもしれませんが、次の例を見れば、改善案のほうが首尾一貫しているとすぐに納得してもらえるでしょう。

原文▶「お金がもったいない」と思って節約ばかりしていると、大切な経験ができない可能性がある。だから、経験はいくらお金を出しても買えない。

⬇

改善▶「お金がもったいない」と思って節約ばかりしていると、大切な経験ができない可能性がある。だから、ときには思いきってお金を使う決断も必要である。

この原文を書いた人に、「本当は、後半の部分で何を言いたかったのか」と聞いてみました。いろいろ話し合ってみた結果、「過ぎ去ってしまった時間は、お金では買い戻せない」と言いたかったのだと分かりました。それは真実です。しかし、次のように書いたとしたら、論理的につながらず、何のことか分かりません。

「お金がもったいない」と思って節約ばかりしていると、大切な経験ができない可能性がある。だから、過ぎ去ってしまった時間は、お金では買い戻せない。

この前半に書かれていた真実と、後半に思っていた真実とは別個の話で、「だから」という言葉でつなげて論じることはできません。

> **原文▶** 私は洋服を買うことが好きだが、買えないときは、ファッション雑誌を読んだり、ウインドーショッピングをしているだけで、心がウキウキしてくる。だから、私の一番のストレス発散法は、洋服を買うことである。何か嫌なことがあったときや、悩み事があるときでも、洋服を買いに行ったり、新作の商品が入っているかどうか見に行くだけでも、気分がスッキリする。

　この原文の骨子は、
　「洋服を買うことが好きだが、買えないときは、見るだけでもいい。だから、一番のストレス発散法は洋服を買うことである」
　となっています。もっと短く言えば、「買えないときは見るだけでいい。だから買いたい」と書いてあるのです。これでは言っていることが、首尾一貫しません。次のようにしたらどうでしょう。

> **改善▶** 私の一番のストレス発散法は、洋服を買うことである。何か嫌なことがあったときや、悩み事があるときでも、洋服を買いに行くと気分がスッキリする。たとえ買えないときでも、ファッション雑誌を読んだり、ウインドーショッピングをしたり、新作の商品が入っているかどうか見に行ったりするだけで、心がウキウキしてくる。

▶ 万引きを完璧になくすことは難しい。だからこそ、未然に防ぐことが必要になってくる。

⬇

▶ 万引きを完璧になくすことは難しい。しかしなるべく未然に防ぐような手段を講ずることはできる。

この例も、「だからこそ」では、論理的につながりません。

　論理的につじつまの合わないことを書くと、どこか心の片隅に違和感が漂います。そのようなときには妥協してしまわずに、立ち止まって違和感の元をたどっていきましょう。
　たとえば先ほどあったように、「買えないときは見るだけでいい。だから買いたい」と短く言い換えれば、誰でもおかしいと気づくでしょう。もっと長くいろいろと書かれていたり、言葉が飾ってあっても、その衣の下に隠れている違和感の元に敏感になってほしいと思います。

違和感

ヒント13 因果関係をつかむ

> 原因と結果が逆になっている文章に出合うことも、少なくありません。原因を取り違えている場合もあります。

原文▶ 職場のモチベーションを高めるためには、達成感を味わう機会を増やし、成長しているという実感を抱かせることが重要である。そのためにはまず、仕事への意欲を回復させる必要がある。

↓

改善▶ 仕事への意欲を回復させ、職場のモチベーションを高めるためには、達成感を味わう機会を増やし、成長しているという実感を抱かせることが重要である。

この問題の因果関係は、

（原因）達成感を味わう、成長を実感する

（結果）意欲が増す、モチベーションが高まる

だと思います。原文は、「まず意欲を回復させる必要がある」となっていますが、それは結果として期待していることであって、原因ではありません。

▶ 地球温暖化防止による「CO_2発生削減」が、社内で厳しく言われるようになった。

↓

▶ 地球温暖化防止のための「CO_2発生削減」が、社内で厳しく言われるようになった。

「による」は原因ですが、「のための」は期待する結果です。「地球温暖化防止問題に関心が深まったことにより」というような意識があったのかもしれませんが、原文の表現では因果関係が逆転しています。

▶ 視聴率を稼ぐためにテレビ局はさまざまな報道に走り、商業主義となっている。

⬇

▶ 商業主義がテレビ局を動かしている。そのために、少しでも視聴率が稼げそうな報道に走る。

商業主義は、結果ではなく原因でしょう。

▶ 今でも店長にたくさん叱られ、たくさん失敗もする。 ➡
▶ 今でもたくさん失敗し、店長にたくさん叱られる。

「失敗するから、叱られる」という因果関係でしょう。原文は逆になっています。

次は、原因を取り違えている例です。

原文▶ 団塊の世代の退職などで今後老齢者人口が増加し、それに伴って医療費がかさむと懸念されている。

⬇

> **改善▶** 団塊の世代が60代を迎えたので老齢者人口が増加し、それに伴って医療費がかさむと懸念されている。

　実際には、「退職」と「高齢化」の間に因果関係はありません。仮に定年が延びて多くの人が働き続けても、高齢化は同じように進みます。本当の原因は、「団塊の世代（戦後すぐのベビーブームのときに生まれた大勢の人々）が60代になったこと」です。

▶ 自分ではマルチプレイヤー型だと思っているので、どんな分野にもすぐ溶け込むことができます。

⬇

▶ 自分では、「マルチプレイヤー型だから、どんな分野にもすぐ溶け込むことができる」と思っています。

　「マルチプレイヤー型だと思っているから、何でもこなせる」のではなく、「マルチプレイヤー型だから何でもこなせると思っている」でしょう。

▶ 感謝の気持ちを自分なりに伝え、表現していきたい。　➡
▶ 感謝の気持ちを自分なりに表現し、伝えていきたい。

▶ 社会人になって就職したら、1人で住む。　➡
▶ 就職して社会人になったら、1人で住む。

　これらは因果関係というよりは、前後関係というべきかもしれません。

ヒント14 「に」を正しく使う①
(「には」と「は」を使い分ける)

日本語の「てにをは」(助詞)は、人と人、人ともの、ものとものの関係を示すとても大事な役割を担っています。その「てにをは」の使い方が、最近かなり混乱しています。

最初に、「に」に関わるものを3つあげてみます。

原文▶	私は将来ユニセフで働きたいという夢がある。
	⬇
改善▶	私には将来ユニセフで働きたいという夢がある。
	または
	私は将来ユニセフで働きたいという夢を持っている。

このような例にはよく出合います。網かけ部分に注意して読んでみれば、改善案のどちらかが適切であることが分かると思います。

▶ この法律は、食品の衛生に関することが規定されている。

⬇

▶ この法律には、食品の衛生に関することが規定されている。
または
この法律は、食品の衛生に関することを規定している。

この例は、「ヒント7」で取り上げた、能動と受動(受身)の問題でもあります。

▶ 私は、事態は悪い方向に進んでいるように思える。

⬇

▶ 私には、事態は悪い方向に進んでいるように思える。
　　または
　私は、事態は悪い方向に進んでいるように思う。

▶ 友人との交際費は、どの人もかなりのお金を費やしている。

⬇

▶ 友人との交際費には、どの人もかなりのお金を費やしている。

　次は、今までの例とは逆に、「には」ではなく「は」が正しいケースです。

▶ その商店街には、大勢の人々でにぎわいを見せていた。

⬇

▶ その商店街は、大勢の人々でにぎわいを見せていた。

ヒント15 「に」を正しく使う②
(「に」と「で」を使い分ける)

> 以下は、「で」ではなく「に」が正しい表現です。

原文▶ このような機会で学びたいことがある。　➡
改善▶ このような機会に学びたいことがある。

▶ 学生時代では手の届かなかった物だ。　➡
▶ 学生時代には手の届かなかった物だ。

▶ 緊急で何かが必要になった場合には、来てください。　➡
▶ 緊急に何かが必要になった場合には、来てください。

▶ 1人ひとりが個別で食事を取っている家庭が多い。　➡
▶ 1人ひとりが個別に食事を取っている家庭が多い。

▶ 家庭でも教育については大きな役割がある。　➡
▶ 家庭にも教育については大きな役割がある。

▶ コンビニでは野菜も置いてある。　➡
▶ コンビニには野菜も置いてある。
　　または
　コンビニでは野菜も売っている。

> 次は逆に、「に」ではなく「で」が正しい例です。

原文▶ 世界に、ここにしかいないマグロ。 ➡
改善▶ 世界で、ここにしかいないマグロ。

　これは、テレビ番組の字幕で見つけた例です。最近はテレビで使われている日本語にも、「てにをは」の混乱がしばしば見られます。

▶ 冷房のない部屋に大人数で作業する生活が苦痛だった。
⬇
▶ 冷房のない部屋で大人数で作業する生活が苦痛だった。

▶ 山中湖にある寮に、毎年夏季研修を行なっています。
⬇
▶ 山中湖にある寮で、毎年夏季研修を行なっています。

　ここまで読んだ読者は、それぞれの文例について、「なぜ『に』なのか」「なぜ『で』なのか」と思うかもしれません。その理由の説明を求めて、たとえば森田良行『助詞・助動詞の辞典』（東京堂出版）を開いてみますと、「に」の意味は10通りにも分けて、例文とともに詳しく説明されています。
　この本は文法書ではありませんので、そのような解析に多くの紙数を割くことができません。「てにをは」について不確かな方は、➡ の後の改善案を声に出して読んでみて、自分の体内辞書と照らし合わせてみてください。それで納得のできない読者は、どうか文法書をひも解いてください。

ヒント16 「に」を正しく使う③
（「に」と「を」を使い分ける）

第2章 自然な正しい表現で書く

以下は、「を」ではなく「に」が正しい表現です。

原文▶ 仕事を一生懸命取り組む。 ➡
改善▶ 仕事に一生懸命取り組む。

これも、とても頻繁に見られる誤りです。次のような具合です。

- ▶ 課題を真剣に挑戦する。 ➡ 課題に真剣に挑戦する。
- ▶ その問題を悩んでいる。 ➡ その問題に悩んでいる。
- ▶ 自然の大切さを気づく。 ➡ 自然の大切さに気づく。
- ▶ 人のことを干渉しない。 ➡ 人のことに干渉しない。
- ▶ 大学を入ることができた。 ➡ 大学に入ることができた。

- ▶ 次のようなポイントを留意したい。 ➡
- ▶ 次のようなポイントに留意したい。

- ▶ 母は、私の恋愛を反対した。 ➡
- ▶ 母は、私の恋愛に反対した。

- ▶ 女性の出産・育児の役割を配慮する必要がある。 ➡
- ▶ 女性の出産・育児の役割に配慮する必要がある。

次は逆に、「に」ではなく「を」が正しい例です。

原文▶ 私立中学に受験させる。　➡
改善▶ 私立中学を受験させる。

▶ ベトナムに支援したい。　➡　ベトナムを支援したい。
▶ 歴史学科に志望している。　➡　歴史学科を志望している。

▶ 事実に脚色すべきではない。　➡
▶ 事実を脚色すべきではない。

　　または
　事実に脚色を施すべきではない。

▶ 家事の大変さに思い知らされた。　➡
▶ 家事の大変さを思い知らされた。

▶ 生まれ育った環境に嘆いていた。　➡
▶ 生まれ育った環境を嘆いていた。

　以上、「に」に関わる典型的な問題を3つ取り上げました。

第2章 自然な正しい表現で書く

ヒント17 「を」を正しく使う①
（「を」と「で」を使い分ける）

「に」に次いでよく見られるのが、「を」に関わる混乱です。ここではまず、「を」と「で」について取り上げます。

> **原文▶** 長年貯めたお金で、開店資金にする。　➡
> **改善▶** 長年貯めたお金を、開店資金にする。

これは、「ヒント8」で取り上げた文例に似ています。「貯めたお金で店を開く」か、「貯めたお金を開店資金にする」かのいずれかです。

▶ 人生で生きていく上で参考になる教訓がたくさんある。　➡
▶ 人生を生きていく上で参考になる教訓がたくさんある。

▶ 親は躾（しつけ）を含めてすべての面を学校に頼り切っている。　➡
▶ 親は躾を含めてすべての面で学校に頼り切っている。

▶ 強い日差しが、コンクリート道路を照り返している。➡
▶ 強い日差しが、コンクリート道路で照り返している。

ヒント18 「を」を正しく使う②
(「を」と「が」を使い分ける)

以下は、「を」ではなく「が」が正しい表現です。

原文▶ この仕事の重要性を、まだ十分理解されていない。 ➡
改善▶ この仕事の重要性が、まだ十分理解されていない。

「この仕事の重要性を、まだ十分理解していない」なら、「を」で正解です。

以下は日常的によく使われる表現ですが、同じ問題があります。

- ▶ 音楽を好きです。 ➡ 音楽が好きです。
- ▶ この本を気に入った。 ➡ この本が気に入った。
- ▶ フランス語を分かります。 ➡ フランス語が分かります。

- ▶ 起業することは大変だということを、身にしみた。 ➡
- ▶ 起業することは大変だということが、身にしみた。

次は逆に、「が」ではなく「を」が正しい例です。

- ▶ 多くのテレビ局でワイドショー番組がやっている。 ➡
- ▶ 多くのテレビ局でワイドショー番組をやっている。

　　　　　　　＊　＊　＊

　日頃我々は、無意識に身につけた感覚で、「てにをは」を使い分けています。いちいち理屈で考えている訳ではありません。
　もちろん文法学者はさまざまな研究をしています。よく話題になる「は」と「が」の使い分けだけにテーマを絞った『「は」と「が」』という本（野田尚史／くろしお出版）は、300ページ以上に及びます。「あとがき」を読むと、書きたいことを詳しく書いていくと、2倍か3倍の量になりそうだったとあります。

　前掲の『助詞・助動詞の辞典』は、比較的新しい総合的な研究書ですが、それを読んでも、各助詞の使い方や特性をそう簡単に説明しきれるものではないと感じます。我々が「てにをは」を使い分ける際の複雑なルールを解明しようとする努力が、まだ進行中なのです。
　仮にいつの日かそれができたとしても、大部な文法書を一般の人がすべて理解し、記憶し、そのルールに従って「てにをは」を使い分けることなど到底不可能です。要するに、感覚頼みなのです。母語は体で覚えるものですが、「てにをは」は特にそうだと思います。

ヒント 19 「で」と「の」の混入を避ける

今まで見た「てにをは」の逆転とは別に、不要な混入現象も見られます。最も多いのが、「で」の混入です。

原文▶ おでんでのだしは、地域によって異なる。　➡
改善▶ おでんのだしは、地域によって異なる。

この「で」の混入は、「おでんで（に）使われるだし」という意識がどこかにあって、そこから「使われる」が抜け落ちた結果、起きたのではないかと思います。

以下の例の「で」も、すべて不要です。

▷イースター島でのモアイ像を見てみたい。
▷軽井沢でのお土産話を聞いた。
▷知らない国での食べ物や習慣に慣れるには、時間がかかる。
▷仕事を通じて、広い範囲での友達をつくることができる。
▷昨年では、年間1100店以上の書店が減少した。
▷米国の自動車メーカーではさらに深刻で、多額の債務超過に陥っている。
▷前回でも書いたが、私は日曜大工が趣味だ。

これらの不要な「で」の混入も、「イースター島で見られるモア

イ像」「軽井沢で手に入れた話」「知らない国で食べられる物」というような意識が反映してしまった結果起きるのでしょうが、最近かなり広範に見られる現象です。

「の」の混入も、少なくありません。

原文▶ アメリカなどでのバイオマスエタノールを生産するため、食用以外の穀物需要が増大した。
⬇
改善▶ アメリカなどでバイオマスエタノールを生産するため、食用以外の穀物需要が増大した。

以下の「の」は必ずしも誤りではありませんが、不要です。

▷電車内でのマナー違反をする人が多過ぎる。
▷この国は他国からの水の供給をしてもらっている。

ヒント20 [必要な「てにをは」を省かない]

友人との会話や携帯メールなどでは「てにをは（助詞）」を省くことがありますが、普通の文章では「てにをは」を省かないようにしましょう。

原文▶ 昔は、23歳での結婚が早い結婚であるなど思っていなかった。

⬇

改善▶ 昔は、23歳での結婚が早い結婚であるなどと思っていなかった。

▶ 宝くじを買うたび、もし当たったら何に使おうかと考える。

⬇

▶ 宝くじを買うたびに、もし当たったら何に使おうかと考える。

▶ 人生は一度きりなので、若いうちしかできないことをたくさん経験したい。

⬇

▶ 人生は一度きりなので、若いうちにしかできないことをたくさん経験したい。

▶ 資格取るために勉強しています。　➡
▶ 資格を取るために勉強しています。

第2章 自然な正しい表現で書く

- ▶ 夢実現のために……　➡
- ▶ 夢の実現のために……
  または
  夢を実現させるために……

- ▶ 家族大好きで自立もしていない私が、1人で暮らしていけるわけなどない。

  ⬇

- ▶ 家族が大好きで自立もしていない私が、1人で暮らしていけるわけなどない。

＊　＊　＊

　難しい言葉は、知らなければ使わないですむ場合もありますが、「てにをは」ばかりは、そうはいきません。日本語の各パーツを組み立て、文の形をつくり上げ、意味を形成するために、欠かせないものだからです。したがって、言語感覚があやしくなると、「てにをは」に端的にそれが表れます。

　すでに説明したように、残念ながら「てにをは」の混乱を直す即効薬はありませんが、基本に戻って日頃から言語生活（日々言葉を聞いたり、話したり、読んだり、書いたりすること）を大切にし、的確な言葉に親しむようになれば、少しずつ感覚を確かなものにすることができます。
　その際、今まで無意識に使っていた「てにをは」に特に意識を向かわせるのは、十分意味があることでしょう。

ヒント21 言葉は習慣である

> 長い間の試行錯誤を経て定着した表現は、多くの人が慣れ親しんでいるので、コミュニケーションをスムーズに成立させてくれます。それらは一般に、言いたいことを的確に表わしてくれる「しっくりした」表現であり、語呂も、響きもいいのです。

それとは逆に、「普通、そういうふうには言わない」という表現を使うと、読み手を戸惑わせます。たとえ意味は分かったとしても、どこか違和感が残ります。ですから、言葉は多分に多くの人々が共有する「習慣」なのだと私は思います。

過日、アグネス・チャン（注）がテレビで、
「我々大人が子供たちのためにできることは、山積みあります」
と言っていました。彼女の話は強い信念、情熱に裏づけされており、正論を堂々と吐くので聞いていて気持ちがいいものです。言わんとすることも、ちゃんと理解できます。

しかし、山積（さんせき、やまづみ）という言葉は、「問題山積です」のようなときに使います。つまり、ネガティブ（否定的）な意味で使われる習慣があるのです。

外国人であるアグネス・チャンが、そこまで知らなくても仕方がありません。外国語をあそこまで話せる日本人は少ないですから、「山積み」と言えるだけでも尊敬します。でも日本語を母語とする人は、「できることは、山積みあります」という表現は避けてほし

いと思います。

(注) アグネス・チャンは、1955年香港生まれの歌手。1972年に日本でデビュー。日本人と結婚し、大学教授、エッセイスト、小説家、日本ユニセフ協会大使などとして、多彩な活動を行なっている。

> **原文▶** 主婦が押し寄せ、サラダ油やマヨネーズを我先に取り合った。
>
> ↓
>
> **改善▶** 主婦が押し寄せ、サラダ油やマヨネーズを我先に奪い合った。

理屈から考えれば「取り合う」でもいいはずですが、こういうときは普通、「奪い合う」と言うのです。一方で、「場所の取り合いになった」というような表現は定着しています。

▶ 東京は交通の便が良くスーパーなどの店の数も多いので、生活に困らない。

↓

▶ 東京は交通の便が良くスーパーなどの店の数も多いので、生活が便利だ。

「生活に困る」は、暮らしていくのに必要なだけのお金がないという意味で使われる習慣があります。

▶ 次の話題に乗り移っていく。　➡　次の話題に移っていく。

「乗り移る」は、「悪霊が、彼女に乗り移った」のようなときに使

います。ただ話題を変えるだけのときに、「乗り移る」は変です。

原文▶	本を読んだり、趣味をしたりして1日の大半を過ごす。
	⬇
改善▶	本を読んだり、趣味を楽しんだりして1日の大半を過ごす。

なぜか「趣味をする」とは言いません。

▶ 母は、薬剤師のパートを行なうかたわら、趣味の卓球も行なっている。

⬇

▶ 母は、薬剤師のパートをするかたわら、趣味の卓球もしている。

⬇

▶ 母は、薬剤師のパートのかたわら、趣味の卓球も楽しんでいる。

　このような場合、「行なう」よりは「する」が使われています。しかし、「するかたわら、している」と同じ言葉を続けるのもぎこちないので、結局2番目の改善案が一番いいと思います。
　2語以上の結びつきが習慣的に固定した「成句」もあります。

▶ 報道を鵜呑みに受け取る。　➡　報道を鵜呑みにする。

▶ 私にとってコンビニは、切っても切れない存在である。

⬇

▶ コンビニは、私の毎日の生活とは切っても切れない存在である。

「切っても切れない」は、単独では使いません。「○○とは切っても切れない」というふうに用います。

　　　　　　＊　　＊　　＊

「言葉は習慣である」にも例外はあります。小説の中に、次のような面白い言葉の使い方を見つけました。

＜これが典型的な沢野の食べ方であった。この男は腹が減った時に眼の前にうまいものを見るとまず「眼」が逆上するのである。続いて彼の精神の単純回路がショートする。まわりの物音が聞こえなくなる。そうして「ワアーッ」と、とにかく一気呵成に食いこんでいくのである。
　「食いこむ」という言葉は本来は、たとえば机のカドにマサカリが食いこむ、というふうな使われ方をするのだろうけれど、沢野の人生を見ていると、この言葉はむしろ沢野が食物を前にした時にこそ一番正しく当てはまる言葉ではないか、と思うのである。（椎名誠／『哀愁の町に霧が降るのだ』／新潮社）＞

このように作家的な感性をもって、「なるほど」という新しい言葉の使い方を発見すれば、習慣に逆らうことはできます。
　しかし、一般の社会人、学生が、このような変則的な言葉の使い方をすると、誤解が生じかねません。

ヒント22 [本来の意味を考えて言葉を探す]

前項では、理屈から考えたらそれでも良さそうなのに、習慣的に使われていないという表現をあげましたが、ここでは、**言葉の本来の意味を考えると的確ではない**という例を示します。

> **原文▶** 豊富な国と貧困な国では、生活の仕方が大きく異なる。
>
> ⬇
>
> **改善▶** 豊かな国と貧しい国では、生活の仕方が大きく異なる。

「豊富な」は「たくさんある」という意味ですから、「石油が豊富な国」「観光資源が豊富な国」というような使い方をします。ただ「豊富な国」＝「たくさんある国」では、何がたくさんあるのかが分からず、意味をなしません。

▶ グローバル化の進む中で、国境という壁は低くなってきたが、価値観の差異からくる心の壁は、ますます広くなりつつある。

⬇

▶ グローバル化の進む中で、国境という壁は低くなってきたが、価値観の差異からくる心の壁は、ますます高くなり（または厚くなり）つつある。

「壁」という言葉の意味を考えれば、「広くなる」ではなく、「高くなる」「厚くなる」でしょう。

▶ 私は大学の4年間で、経済学を極めたい。　➡
▶ 私は大学の4年間で、経済学を深く学びたい。

　「極める」は、極限まで学び尽くすという意味です。いかに秀才でも、4年間では無理です。

　他にも、たとえば「難局に立ち向かう」というのは正しい表現ですが、「目標に立ち向かう」は変です。「立ち向かう」というのは、「対抗する、敵対する」という意味だからです。
　「私の性格をまじまじと考えた」もおかしいですね。「まじまじ」は、視線をそらさず見つめるという意味ですので、「見る」と一緒に使われます。
　「お金を使う」とは言いますが、普通、「お金を使用する」とは言いません。「使う」には「費やす、消費する」という意味もあって、その意味で「使う」と言っているからです。

ヒント23 「関連する言葉との混同を避ける」

意味の関連のある言葉と混同してしまうケースもあります。

原文▶	コンビニは営業時間を縮小する方向に向かうのではないか。
	↓
改善▶	コンビニは営業時間を短縮する方向に向かうのではないか。

「縮小」と「短縮」は似てはいますが、「規模を縮小する」「時間を短縮する」という組み合わせが普通です。

ある新入社員は、「会社生活に期待すること」という文章の冒頭に、「会社は大学とは大きく変化する」と書きました。
「会社は大学とは大きく異なる」「私の生活は、会社に入れば大きく変化する」のいずれかなら的確な表現ですが、この新入社員の頭の中では、「変化する」と「異なる」の混同、「会社は」と「私の生活は」の混同が起きていたのです。

「変化する」と「異なる」は、関連はありますが意味は異なります。英語に置き換えてみると、change と different です。このような関連のある言葉の間では、しばしば混同が見られます。

▶ 自分の国について知ることが重要不可欠だ。　➡
▶ 自分の国について知ることが必要不可欠だ。

「重要」と「必要」は、意味が違います。

▶ 私は、「自分が何者であるか」を見つけ続けたい。　➡
▶ 私は、「自分が何者であるか」を探し続けたい。

　探した末に、探していたものを発見するのが「見つける」です。ですから、「探す」と「見つける」は関連はありますが、意味は異なります。
　「自分が何者であるか」を次から次へと見つけ続けることは困難です。多分、「見つけようと努力し続ける」と言いたかったのでしょう。

ヒント24 「両立する」か、「両立させる」か

「する」と「させる」の逆転を、文章添削のときに指摘することがしばしばあります。ここでは、自動詞の「する」を取り上げます。それが、他動詞の「させる」と対になっています。

原文▶ 私は、仕事と家庭を両立するつもりだ。 ➡
改善▶ 私は、仕事と家庭を両立させるつもりだ。

この関係を整理すると、次のようになります。以下のいずれかが正しい表現です。

<「する」と「させる」の使い分け>

顔と名前が（は）一致する。	⇔ 顔と名前を一致させる。
使いやすさが（は）向上する。	⇔ 使いやすさを向上させる。
仕事と趣味が（は）両立する。	⇔ 仕事と趣味を両立させる。

つまり「が（は）」の後に「する」がくる場合は、「を」の後には「させる」がくるのです。

最近ではテレビのアナウンサーも、「する」と「させる」を混同していることがあります。まさにこの原稿を書いているときに、ある男性アナウンサーが、「仕事とスポーツを両立してきた〇〇さんは」と言っていました。

ヒント25 「豊かになる」か、「豊かにする」か

ここでは、他動詞の「する」を取り上げます。それが、自動詞の「なる」と対になっています。

原文▶	読書は自分を豊かにさせるものなので、たくさんの本を読みたい。
	⬇
改善▶	読書は自分を豊かにするものなので、たくさんの本を読みたい。

この場合の他動詞は、「させる」ではなく「する」なのです。自動詞は「なる」を使います。以下のいずれかが正しい表現です。

<「なる」と「する」の使い分け>

心が（は）豊かになる。　　⬌　心を豊かにする。
部屋が（は）明るくなる。　⬌　部屋を明るくする。
彼が（は）医者になる。　　⬌　彼を医者にする。

つまり「が（は）」の後に「なる」がくる場合は、「を」の後には「する」がくるのです。

* * *

『日本語文法ハンドブック』（庵功雄・高梨信乃・中西久実子・山田敏弘著／スリーエーネットワーク発行）によりますと、最後の「彼を医者にする」の例のように「を」の前に人がきたときには、「彼を医者にさせる」も広く使われるそうです。

　さらに同書は、「を」の前に人がきて、その人物が何らかの感情を抱く場合には、

▶　父の優しさが、私を嬉しくした。　➡
▶　父の優しさが、私を嬉しくさせた。

▶　不用意な一言は、子どもたちを悲しくした。　➡
▶　不用意な一言は、子どもたちを悲しくさせた。

のように、「する」ではなくて「させる」を使うと説明しています。次の例も、それにあたると思います。

▶　その映画は、彼を夢中にした。　➡
▶　その映画は、彼を夢中にさせた。

第2章　自然な正しい表現で書く

ヒント 26

列挙するときは、品詞をそろえる

たとえば、「今、会社が抱えている問題は、A、B、Cの3つだ」と列挙するときに、A、B、Cが名詞であったり、動詞であったり、形容詞であったりとバラバラではおかしな文になってしまいます。

原文▶ 彼の長所は、仕事が速い、明るい、親切なことだ。

⬇

改善▶ 彼の長所は、仕事が速いこと、明るいこと、親切なことだ。（名詞に統一）

または

彼の長所は、仕事が速い、明るい、親切である、の3つだ。（形容詞、形容動詞に統一）

▶ 私は、インターネットで予約した本を受け取りに、宅配便の委託、税金の支払いなどでコンビニを利用している。

⬇

▶ 私は、インターネットで予約した本の受け取りや、宅配便の委託、税金の支払いなどでコンビニを利用している。（名詞に統一）

この文を書き始めたときは、「本を受け取りに、コンビニに行く」という文型を頭に置いていたのでしょう。それが途中で気が変わって、「宅配便の委託、税金の支払い」と名詞を並べてしまったので、

「などでコンビニを利用している」という締めくくりになってしまったのだと思います。

　文章を書いていて、途中で気が変わることはよくあります。あるいは、今までどういうつもりで書いていたのかをうっかり忘れてしまうこともあります。そうすると、列挙する言葉の品詞がいつの間にかバラバラになってしまうのです。

▶ 居心地のよい寮の雰囲気づくりや、人間関係が円滑に進むために、常に周りのことを考えて行動した。（前者は名詞、後者は動詞）

⬇

▶ 居心地のよい寮の雰囲気づくりや、円滑な人間関係のために、常に周りのことを考えて行動した。（名詞に統一）
　または
　居心地のよい寮の雰囲気をつくり、人間関係を円滑にするために、常に周りのことを考えて行動した。（動詞に統一）

　書き終えた後、このような視点でも一度チェックしてみてください。

話し言葉の影響を避ける①
「なります」

ヒント 27

> 言葉の変化は、通常、話し言葉から起きます。いつの時代の人も、話し言葉の中でさまざまな表現を生み出したり、あるいは言葉の誤用を始めたりします。
>
> その中のいくつかは時間とともに新しい表現として受け入れられ、それがやがて書き言葉にも進出します。
>
> ですから、最近生み出されたばかりの話し言葉は、話し言葉としてもまだ定着しておらず、ましてや書き言葉としては受け入れられていないので、強い違和感を与えます。

その典型的な例の1つが、「なります」です。テレビでよく見る若い男性のレポーターは、

「こちらが、昨日の事件の現場になります」

と言って実況中継に入りました。

別の番組では、ある中央官庁のお役人が都内の一流ホテルの豪華な部屋に泊まり続け、1500万円以上のツケをためてしまったと報じていました。そこで40歳前後の男性のホテルマンは、いかにもお客様商売に慣れた物腰で、

「このお部屋は、広さ的には45平米（ヘーベイ）になります」

と説明していました。

この2つのケースは、

「こちらが、昨日の事件の現場です」

「このお部屋の広さは、45平米（ヘーベイ）です」

と言ってほしいところでした。このように最近は、「です」ですむところを「になります」と言うと丁重な表現になると錯覚している人がいます。

あるファミリーレストランでは、ウェイトレスが、
「お水になります」
と言ってお冷を運んで来ました。
東欧に行ったときのガイドさんは、
「チェコで最も人気のあるサッカーチームは、スパルタになります」
「この国が一番栄えたのは、カレル4世の時代になっております」
と、「なります」「なっております」を連発していました。

このような「なります」は話し言葉としてもまだ奇異に響きますが、すでにどんどん広まっており、書き言葉にも登場し始めています。

原文▶ 緊急避難用マスクは、三宅島観光協会のみでの販売になります。

⬇

改善▶ 緊急避難用マスクは、三宅島観光協会のみで販売されています（または 販売しています）。

これは、2000年の噴火から数年後に三宅島を訪れたときに、港に貼られていた掲示です。

最近我が家では、小型の電子辞書を新しい機種に買い換えました。ところが使ってみると、1つ不具合が見つかりました。透明なプラスチックのキーボードの上に黒でアルファベットが印字してありますが、天井のライトの下で使うと、文字の影が下にくっきり映ります。つまりは文字が二重に見えるのです。はなはだ見にくいので、その大手メーカーに「製品改善の参考にしてほしい」というメールを送りました。すると、

　「お問い合わせいただいたキーボードの文字色については、大変申し訳ございませんが、仕様になります」

　というメールが返って来ました。「仕様になります」は、「そういう仕様でつくっています」という意味でしょう。それは分かっています。「仕様ですから、変更する訳にはいきません」と言いたかったのかもしれませんが、そんなことはないはずです。

　という訳で、その返答の内容も不適切でしたが、最後の「になります」にも不快感を覚えました。

ヒント28 話し言葉の影響を避ける② 「いく」

　最近、さまざまな動詞に「いく（行く）」を付ける傾向が生まれているのも気になります。「耐えていく」「頑張っていく」は、継続する行為だからいいのですが、「始めていく」「本を開いていく」はおかしいと思います。「始める」「開く」は、一瞬にして終わる動作だからです。

　書き言葉にも、「いく」がしきりに登場しています。

原文▶ 多世代交流型住宅について調査していこうと思います。この住宅がどう機能していくかを追っていきたいです。

　　　　　⬇

改善▶ 多世代交流型住宅について調査しようと思います。この住宅がどう機能するかを追っていきたいです。

　このように、継続する行為であることを示すために「いく」がほしい場合は、限られています。

　同類の問題として、無意味な「くる（来る）」も気になります。

▶ 生活面の不安を訴える人々が続出してきている。　➡
▶ 生活面の不安を訴える人々が続出している。

ヒント29 話し言葉の影響を避ける③
「なので」「結果」

「なので」は本来、「彼はアメリカ育ちなので、英語がうまい」のように前後をつなげる言葉です。文の頭にいきなり「なので」がくるのは、最近の話し言葉の影響です。

原文▶ 写真は、撮るだけでなく鑑賞することも好きである。なので、東京都写真美術館にはよく足を運んでいる。

⬇

改善▶ 写真は、撮るだけでなく鑑賞することも好きである。だから、東京都写真美術館にはよく足を運んでいる。

次のような「なので」も気になります。

アメリカで自分の英語があまりに通じないのでショックを受けた。なので、本気で英語を勉強し始めた。

パーカッションは、打楽器全般のことを指す。なので、いろいろな楽器を演奏しなければならない。

文頭には、「だから、ですから、したがって、よって、このため、そのため」などを使うようにしましょう。あるいは前の文と連結して、「好きなので」「ショックを受けたので」「指すので」などとします。

文の頭に「結果、」とだけ書くのも、言葉足らずです。「その結果」「結果として」のように丁寧に書きましょう。

> **原文▶** 都会の人口は、ますますふくれ上がる。結果、近所付き合いは、ますます希薄になる。
>
> ⬇
>
> **改善▶** 都会の人口は、ますますふくれ上がる。その結果（または結果として）、近所付き合いは、ますます希薄になる。

次も同様です。

▶ 県代表を目指して、一生懸命練習した。結果、私たちの技術は飛躍的に向上した。

⬇

▶ 県代表を目指して、一生懸命練習した。その結果、私たちの技術は飛躍的に向上した。

　これらは前の文と連結して、「（人口が）ふくれ上がった結果」「練習した結果」などと書いてもいいと思います。

　文頭に使われる次の言葉も、話し言葉としてはかなり広まっていますが、書き言葉としては未成熟です。

ある意味　➡　ある意味で
だけど　➡　でも
けれど　➡　けれども

話し言葉の影響を避ける④
「ら」抜き言葉

ヒント 30

　話し言葉の乱れとしては、「ら」抜き言葉がつとに有名です。たとえば、「ようやく家に戻って来られた」という可能表現を、「戻って来れた」と言うものです。

　辞書によると、「られる」という言葉には、主として「可能、受身、尊敬」の意味があります。

　「自ずと秋の気配が感じられる」などには、別に「自発」という分類が与えられていますが、ここでは「ら」抜き言葉の説明を単純化するために、便宜上「可能」の仲間に入れさせてもらいます。

　この可能表現の「られる」を「れる」とする「ら」抜き言葉は、話し言葉としても誤りとされていますから、ましてや書き言葉に使うのは望ましくありません。

　そこで、「ら」抜き言葉の1つの見分け方を書いておきます。あくまでも、「可能」表現に限った話です。

1 「ら」を加えても「可能」の意味を失わないなら、「ら」抜き言葉です。そのときには、「ら」を加えましょう。

▷ 1人で着れる　➡　1人で着られる
▷ 月食が見れる　➡　月食が見られる
▷ この野草は食べれる　➡　この野草は食べられる

夢をかなえれる ➡ 夢をかなえられる

2「ら」を加えたときに、「可能」の意味を失い、「受身」や「尊敬」に変わってしまったら、それは「ら」抜き言葉ではありません。意味が変わってしまうのですから、「ら」を加えてはなりません。

▷切れる ⇨ 切られる（受身）
▷売れる ⇨ 売られる（受身）
▷知れる ⇨ 知られる（受身）
▷滑れる ⇨ 滑られる（尊敬）

要するに、「『ら』を加えても可能が可能のままなら、『ら』を加える」と覚えてください。

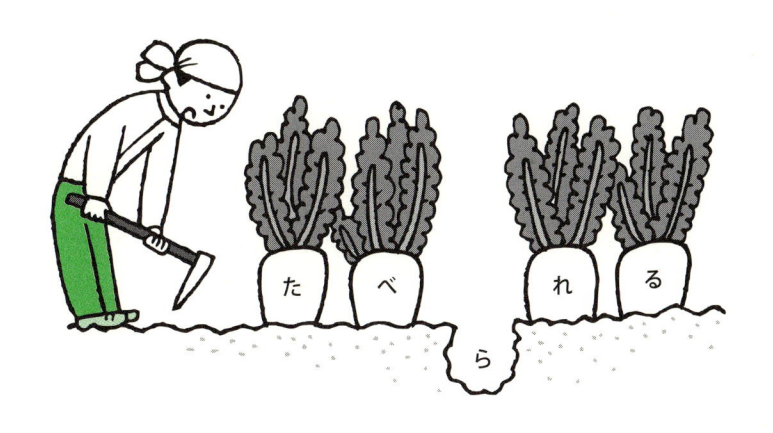

ヒント31 話し言葉の影響を避ける⑤
「濃い」「濃く」

　「濃い」という言葉は、「色が濃い」「味が濃い」「化粧が濃い」「霧が濃い」「疑いが濃い」などのように使われます。「濃い」だけを単独で使うのは、最近の話し言葉です。

原文▶　イタリアでは、とても濃い日々を過ごすことができた。
　　　　　　　⬇
改善▶　イタリアでは、とても充実した日々を過ごすことができた。

　少し年長の方は、上のような表現には戸惑うことでしょう。ここでは「中味が濃い」というほどの意味でしょうから、たとえば「充実した」と言えると思います。

家族や友人と旅行に行き、楽しみを共有すると、より濃く感じることができる。

命という濃く深いものを大切にしたい。

　この「濃く」には、もっと戸惑う人が多いでしょう。この場合は、「旅の魅力を印象強く」「かけがえのない貴重な」というような意味なのでしょうが、いかにも言葉足らずです。

このほか、最近の話し言葉の影響を受けた書き言葉で、気になるものをいくつかあげてみます。

1 はまる

原文▶	韓国文化は、知れば知るほどはまっていくと思います。
改善▶	韓国文化は、知れば知るほど魅力的です。
	（または　のめり込んでいきそうです）

2 真逆

原文▶	兄と私の性格は、真逆です。
改善▶	兄と私の性格は、正反対です。

3 子

原文▶	私の課の子は、皆仕事熱心です。
改善▶	私の課の女性は、皆仕事熱心です。
	（または　友人、友達、仲間、人…）

4 一生ものの

原文▶	彼女は一生ものの友達です。
改善▶	彼女は一生大切にしたい友達です。
	または
	彼女は一生付き合っていける友達です。

　「一生もの」を「物」ではなく「人」に使うのは、最近登場した

話し言葉です。

その他、言葉だけあげてみますと、次のようなものもあります。

▷かぶる　➡　重複する、重なり合う、同じになる
▷わりと　➡　わりに、割合（に）、比較的
▷なるたけ　➡　なるべく
▷そそられる　➡　魅力的だ、惹かれる
▷自然と　➡　自然に

「自然と」は、「自ずと」という言葉と、「自然に」が混同されて生まれた表現ではないかと思います。

＊　＊　＊

言葉はたえず変化するものですから、今、違和感を覚えるものも、5年後、10年後には普通になっているかもしれません。しかし、その時点ではまた別の新しい話し言葉が書き言葉に進出して、違和感を与えていることでしょう。

第2章のまとめ

- 文の前半と後半をかみ合わせる。
- 宙に浮いた言葉は書かない。適切な述語で受ける。
- 文の幹の形（主語＋述語）をシンプルにする。
- 論理的に首尾一貫させる。因果関係を正しくつかむ。
- 「てにをは」（助詞）を、正しく使う。
- 確立した言語習慣に従う。
- 本来の意味を考えて、言葉を探す。
- 「する」「させる」、「なる」「する」を正しく使い分ける。
- 列挙するときは、品詞をそろえる。
- 最近の話し言葉の影響を避ける。

　いつも分厚い文法書を手元に置いて書くことなどは、できない相談です。ですから、日々の言語生活（言葉を聞いたり、話したり、読んだり、書いたりすること）の中で自然に身につけた言語感覚が頼りです。

　日本の国語教育には、とかく難しい言葉に注目してそれを熱心に教えようとする傾向があったと思いますが、まずはやさしい基本的な日本語を正確に使えるように日頃から練習したいものです。

コラム 2

共通する要素の発見

「机」にはさまざまな形、大きさ、材質、色、用途のものがありますが、それにいちいち別の名前を付けることなど不可能です。第一、そんなことをしたら不便で仕方がありません。ですから、ある共通の要素を持っているものを大きくくくって、「机」というラベルを貼ったのです。

しかし、「卓」という言葉も使われています。たとえば、「勉強机」「仕事机」がある一方で、「食卓」「円卓」があります。

英語にも、「desk」と「table」があります。「desk」を「通常は引き出しが付いている」と説明している辞書もあります。共通項をくくるときに、引き出しに注目したのは面白いと思いますが、それは用途とも密接に関係しているのでしょう。

「run」は普通、「走る」という意味だと思われていますが、それ以外にも、「動く」「継続する」「流れる」「展開する」「立候補する」などの意味でも使われます。以下のような具合です。

The clock does not run.（動かない、故障している）
The machine is running.（動いている、運転されている）
The ceremony is running.（続いている）
The show runs for two months.（続く、継続する）
Tears run from her eyes.（流れる）

The river runs into the Pacific Ocean.（流れる）
The story runs as follows.（展開する）
He will run for President.（立候補する、出馬する）

　日本語の「走る」も、「run」とは異なるいろいろな意味で使われます。次のような具合です。

悪（非行）に走る。　　感情に走る。
筆が走る。　　　　　痛みが走る。
口走る。　　　　　　才走る。
敵側に走る。　　　　目が血走る。

　このように、「run」と「走る」は、重なり合っている部分もありますが、ずれている部分も多いのです。当然のことです。まったく違った文化的背景の中で、長い時間の間に次第につくられてきた「概念のくくり」だからです。

　このような特性を持った言葉を的確に使うためには、多くの「例文」に接して、その概念のくくり方を体で覚えるのが一番です。それは、想像するほど難しいことではありません。そこには必ず１つの言葉でくくられる必然性が潜んでいるからです。

　そのようにして、適切に使える語彙を少しずつ増やしてください。まず、やさしい基本的な言葉の意味を、的確に把握しましょう。

第3章 言いたいことを明確にする

ヒント32 概念(コンセプト)を整理する

> 文章はいきなり言葉が並ぶのではなくて、最初に概念が整理され、組み立てられ、その概念が1つひとつ言葉に置き換えられていくものです。

次の例では、「お金は必要不可欠だ（= お金なしには、何ひとつできない）」ということと、「お金さえあれば、何でも手に入る」という2つの概念が、未整理のまま一緒に論じられています。

原文▶ お金は、生活のために必要不可欠なものである。ほしいものを手に入れるには、お店で買えばいい。本だけではなく、ご飯もおかずも服も、お店に行けばどこにでも売っている。また、商品開発するにも、研究をしている人も、材料費や開発のお金は必要なのだ。

この最初と最後の文は、「お金は必要不可欠だ」という話ですが、途中の2つの文は、「お金さえあれば、何でも手に入る」という話です。この2つの概念は別のものですから分けて書くべきですが、この場合にはむしろ「お金は必要不可欠だ」だけに絞って書いたほうが論旨が一貫します。この原文の前後を読むと、書き手が言いたかったのは、そのことに尽きることが分かるからです。

お金で買えるものの具体例がいきなり「本」で始まるのは、いかにも唐突です。まず生きていくために必要な「衣食住」のニーズを

満たし、次に教養や娯楽のニーズを満たす、というような概念（コンセプト）の整理をするのが自然でしょう。

その後いきなり「商品開発」の話が始まるのも唐突です。個人の生活から企業活動に目を転じた後は、企業活動のいくつかの側面にバランスよく目を配りましょう。

> **改善▶** 世の中、お金がなければ何もできない。衣食住のすべてが、お金なしには賄えない。それだけでなく、お金がなければ本も買えないし、旅行にも行けないし、好きな映画も見られない。
> 　個人の生活だけでなく、企業活動のためにも元手になる資金が要る。それがなければ、事務所も工場も店舗もつくれないし、商品開発もできず、原材料も買えない。

次は、ハワイにぜひ住みたいという人が書いた文章です。

> **原文▶** ハワイに住みたい理由は、次の2つである。
> （1）土地柄（時間がゆったり流れている、人のことに干渉しない、マイペース、スローライフ、澄んだ空気）
> （2）澄みわたった海
>
> ↓
>
> **改善▶** ハワイに住みたい理由は、次の2つである。
> （1）人々の暮らしぶり（時間がゆったり流れている、人のことに干渉しない、マイペース、スローライフ）
> （2）美しい自然（澄みわたった海、澄んだ空気）

ここで使われている「土地柄」という言葉は、人々の暮らしぶりも自然も伝統もすべてを含んでしまう広過ぎる概念です。そこに「澄んだ空気」を入れているのですから、「澄みわたった海」も含めることができそうです。そうすると、「土地柄」はすべてを含む概念になってしまい、理由を2つに分けたことにはなりません。

　書き手は「澄みわたった海」に格別の思い入れがあったので単独の理由としてあげたのでしょうが、「澄んだ空気」とも区別するのでは、あまりに狭い概念になってしまいます。

　改善案のように、「人々の暮らしぶり（ライフスタイル）」と「自然」という2つの概念に分ければ、その違いは明確ですので、「2つの理由」が納得できます。
　概念（コンセプト）をいくつかに分けるときは、それぞれの違いがはっきりしていることと、そのくくり方が極端に大き過ぎたり小さ過ぎたりしないことが必要です。

ヒント33 [なるべくシンプルに整理する]

> すでに何度か述べましたが、「誰が（何が）どうなのか」「誰が（何が）誰に（何に）何をしたのか」などを表わす文の幹は、常にシンプルなものでなければなりません。そのように心がけると、自分の言いたいことが明確になります。

第3章 言いたいことを明確にする

次の文章は、そういう意味で言いたいことが十分に整理されていないので、少々読みにくいかもしれません。

原文▶ 確かに日本を今以上に発展させるには、技術力や経済力などさまざまな要素が必要となる。現にそのようなものによって、今までの日本は先進国として世界のトップに立ち続けた。しかし、そのような高度な技術力や経済力がかつての日本で生まれたことにも、根底には私たち1人ひとりが幼いころから受けている教育が関係しているのではないか。

結論から言うと、この文章の書き手は以下のようなことが言いたかったのではないでしょうか。

改善▶ 日本は今まで技術力と経済力によって世界のトップに立ち続けてきたが、それは教育の成果である。これからも日本を支えてくれるのは技術力と経済力だから、教育には十分意を用いる必要がある。

もしこう言いたかったのだとすると、原文には以下のような問題点がありました。

1 最も言いたいことは、「教育」によって「技術力と経済力」が育まれ、それが「日本の発展」をもたらしたということですから、技術力と経済力以外の「さまざまな要素」という話を持ち込んで論点をぼかしてしまうべきではありません。
また「教育のおかげだ」と言いたいのですから、「教育が関係している」というような遠回しな表現は避けるべきです。

2 「今以上に発展させる」とは、どういう意味でしょうか。「発展」はそもそも現状よりも進歩することです。言いたかったのは、「今後も発展を継続する」「今後も日本（の発展）を支える」というようなことだったのでしょう。

3 「確かに」「現に」「しかし」というような、意味不明のつなぎ語は取り去るべきです。特に逆接ではないのに「しかし」と書いてはなりません。論旨が迷走してしまいます。

4 原文は、まず将来のことを述べ、それから過去の話をしていますが、過去の実績を根拠にして意見を述べようとするのですから、時間を追って書いたほうが理解しやすくなります。「基本は時系列」です。

5 「私たち1人ひとりが幼いころから受けている教育」という表現にも、「教育」という以上の格別の意味はありません。

要するに、原文は言いたいことがはっきりしないままに書いてしまった嫌いがあります。あるいは、思いついた枝葉の部分をあれこれ書いている間に、肝心の幹を見失ってしまったのかもしれません。

　改善案のように整理してみると、話はとてもシンプルになります。これを読んだ人はすぐに、「この意見は正しいだろうか。もし正しいならどのような教育が必要なのか」という議論に進むことができます。

第3章　言いたいことを明確にする

文の幹はシンプルに

ヒント34 婉曲的に曖昧に漠然と考えない

> 日本人には、どこか婉曲的に曖昧に漠然と抽象的に書きたいという性向があるようですが、それでは当然のことながら、読み手の理解と共感は得られません。

私は、アジア各国の教育制度に関して、日本の教育との相違点から、教育がこの先社会にどのように関わっていくべきなのか考えたい。

この文章には、次のような問題があります。

1 「アジア各国の教育制度に関して」は、どこにつながるのでしょうか。普通は「研究したい」「学びたい」「考えたい」などの言葉につながるはずですが、そういう言葉は出てきません。結局、「教育制度」の話はどこにもつながらず、宙に浮いてしまっています。

2 「日本の教育との相違点から」もどこにつながるのかが分からず、どのような意味合いで書かれたのかも分かりません。

3 「教育がこの先社会にどのように関わっていくべきなのか」も、あまりにも漠然とした表現です。

これでは改善案を示すのも困難です。

ヒント35 骨子を組み立て、段落に分ける

> 私は、「1つの段落は、長くても250字以内にしよう」と指導しています。
> 一方では、1つの意味の固まりがそこにあるなら、1つの文だけの短い段落があっても一向に構いません。ですから平均すると、1つの段落の長さは150〜200字程度になります。

適度なタイミングで改行して新たな段落(パラグラフ)に入ると、ある1つの意味の固まりがそこで終わり、新たな話が始まることが、視覚的にも読者に伝わります。話題が変わる、主人公が変わる、場所が変わる、時間が変わる、例示に入る、理由・原因の分析に入るなどさまざまな新たな展開を、改行が端的に「予告」してくれます。

読点(、)が1つの文の中の意味の切れ目を視覚的に示すように、段落は、数行にわたる文章の1つの固まりを、読む前から読者に示す働きがあります。ですから新しい段落に入ると、「この段落で、書き手は何を言おうとしているのだろうか」という問題意識を持って、読み手は読み始めます。

そのように考えると、1つの段落にあれもこれも盛り込むのは得策ではありません。具体的に言えば、1つの段落の内容は、1行で要約できることに絞るべきです。そのようにして各段落の内容を短く要約して順番に並べたものを、「骨子」と呼ぶことにしましょう。

各段落の内容を絞り込めば、段落の長さにも自ずから限りが生じます。そこで冒頭の原則が生まれたのです。
　1つの段落の長さが仮に平均200字としますと、1000字の文章は、5つの段落からなることになります。文章全体の骨子も、5行の箇条書きになります。もちろんこれは、あくまでも目安です。
　このようにして段落の数だけ箇条書きにされた骨子があらかじめ整理されていれば、構成のしっかりした、ムダのない、流れのいい文章が書けます。どういう順番でどのようなことを書き、最後はどう着地するのかという設計図を持って書き進めるからです。思いついたことを思いついた順に書くのとは、大違いです。

　ところが、そのような設計図をあらかじめつくることは、必ずしも容易ではありません。何を書きたいのかが、頭の中で混沌としていることが珍しくないからです。
　そのようなときには、まずは自分の思いつくままに一通り書いてみて、その後に書いたことの骨子を頭から順に箇条書きにしてみます。そして、その骨子を並べ替えて整理し、そこででき上がった設計図をもとに文章を組み替える、というのも現実的なやり方です。今はワープロという便利な道具があるので、それが容易になりました。

ヒント36 同じ話はまとめて書く

> 思いついたことを思いついた順番に書き連ねていくと、同じ種類の話が飛び飛びに何度も出てきたりして、混沌とした文章になってしまいます。いろいろな話を混ぜこぜにしないで、1つひとつ、話をすませてから先に進みましょう。そうすれば、読者はすんなりと理解してくれます。

以下は、「大学で何を学びたいのか」というテーマで書かれた小論文の始めのほうに書かれていた文章です。まったく段落に分かれていないのも問題ですが、内容も混沌としています。

原文▶ 　私が国際学部を志望した理由は、外国についての知識を深め、将来の自分の糧にしたいと考えたからである。母国の知識はもちろん、海外の国の文化、習慣について理解を深めることにより、国際社会に通用する人間になりたいと考えている。この学部では、英語で行なわれる講義もあると聞き、今の自分ではすべてを聞き取ることはできないけれど、留学を通して語学力を自分のものにし、英語の授業も受けられるようになりたい。留学をすることで、多様な価値観と言語力を身に付けたい。また、世界とのつながりを感じてみたい。卒業後には、さまざまな国に旅行に行き、国際学部で学んだことを試したいと考えている。大学時代に海外に関する知識を身に付けることができれば、将来就

第3章　言いたいことを明確にする

> 職の選択肢も増え、自分に合った職業に出合えると思う。
> 私は、留学プログラムで英語圏に留学したいと考えている。世界で一番通用しやすい英語をまず自分のものとし、その後他の国々の言語も学んでみたいと思う。海外には実際に行ってみて初めて学べることや得ることができることが数多くあるはずである。だから留学を通し、さまざまな国の人々と触れ合い、日本にいては経験できないことを経験すべきである。外国語を身につけることは決して容易なことではないが、私は大学生活の中で納得のいく語学力をつけたい。だから私は、ぜひ国際学部に入学し、自分を成長させていきたい。

　この文章には、「国際理解」「留学」「英語力、語学力」「卒業後のこと」という４つのことが、飛び飛びに何度も出てきます。そのような書き方をせずに、たとえば「国際理解」に関する話は、まとめて１カ所に書くべきです。

　そのように整理する際に、卒業後の話は、最後に書くほうがいいでしょう。時間の経過を伴う話は、原則としてその順番に書いたほうが理解しやすくなります。先にも触れましたが、「基本は時系列」です。
　原文は、真ん中あたりで卒業後の話をした後に、もう一度、「留学」「英語力、語学力」の話が繰り返され、時間が逆戻りしています。

　次の改善案は、「国際理解」「留学」「英語力、語学力」「卒業後の

こと」を、その順番にそれぞれ1つの段落にまとめたものです。ですから、4つの段落に整理されています。

> **改善▶**
>
> 私が国際学部を志望した理由は、母国日本のことに加えて、海外の文化、習慣について理解を深め、国際社会で通用する人間になりたいからである。
>
> 私は、在学中に留学プログラムで海外で学んでみたいと思う。海外に実際に行ってみて初めて学べることが数多くあると思うからである。留学を通して、さまざまな国の人々と出会い、多様な価値観や言語に触れ、世界とのつながりを感じてみたい。
>
> 留学プログラムでは英語圏に留学したい。国際学部で英語で行なわれる講義を、今は十分聞き取ることはできないが、在学中に英語の授業もあまり不自由なく受けられるようになりたい。世界で一番通用する英語をまず自分のものとし、その後他の国々の言語も学んでみたいと思う。外国語を身に付けることは決して容易なことではないが、私は大学生活の中で納得のいく語学力をつけたい。
>
> 大学時代に国際的な知識を身に付ければ、就職の選択肢も増えると思う。卒業後は、さまざまな国に旅行し、国際学部で学んだことを試したいと考えている。だから私は、ぜひ国際学部に入学し、自分を成長させていきたい。

この事例から言えることは、「同じ話は、まとめて書く」と、「基本は時系列」ということです。

第3章のまとめ

- 異なる概念（コンセプト）は、混ぜて書かない。

- いくつかの概念に分けて書くときは、それぞれの違いをはっきりさせる。

- 概念のくくり方が極端に大き過ぎたり、小さ過ぎたりしないようにする。

- 文の幹の形をシンプルにする。（前章と同様）

- 婉曲的に、曖昧に、漠然と考えない。

- 骨子を組み立て、段落に分ける。

- 同じ話はまとめて書く。

- 基本は古い話から、時系列に書く。

　言いたいことが不明確であったり、未整理であったら、当然いい文章は書けません。まず、その文章で書くことを絞り込みます。その上で、どんな複雑なことでも、シンプルな文の積み重ねで表現するように努めます。そのような試行錯誤を通じて、言いたいことがより明確になります。

　また、各段落で伝えたいことを1行で要約できるようにし、その段落では、伝えたいことだけをしっかり書きます。書きながら思いつくことを次々加えていくと、全体として何が言いたいのかが分からない文章になってしまいます。

コラム3

国際ビジネスマンもまずは日本語の文章力を

　私は長年、国際ビジネスに携わりながら、「国際的なコミュニケーション能力を高めるためには、まず日本語の文章力を磨け」と言い続けてきました。

　第一に、国際ビジネスマンにとって、なぜ「文章力」なのでしょうか。

　話し言葉は、足し算だけの世界です。次々と言葉を積み重ねていきます。しかもどんどん流れ去ります。声の調子やゼスチャーやジョークやレトリックで、結構ごまかしも効きます。

　一方で文章は、書いている過程では引き算も順番の入れ替えも自由ですが、一旦読み手に提示してしまえば、逃げも隠れもできません。全体を相手に示して理解と共感を求めるものですので、ごまかしが効きません。意味が曖昧であったり、ムダがあったり、矛盾があったり、論旨が一貫していなかったり、構成がしっかりしていないと、たちまちそれが露呈します。

　逆にしっかり構築された文章の説得力はとても大きいものがあります。しかもその力は、長期に持続します。

　「文章力を鍛えることによって、コミュニケーション能力を磨け」という意味が、お分かりいただけると思います。

　第二に、国際ビジネスマンにとって、なぜ「日本語」なのでしょう

か。

　言語表現能力とは、的確な言葉を使って、事実関係や自分の考えを誤解の余地のないように分かりやすく表現する力です。その際には、難しい言葉を知っているかどうかよりも、最も適切な言葉を最も適切に組み合わせるセンスが大事なのです。

　当然ながら幼時から身につけた第一言語、いわゆる母語の力は偉大です。膨大な語彙が、その微妙なニュアンスを含めてほとんど肉体化されています。その最も得意な母語で簡潔・明瞭に表現するセンスを磨いていない人がいくら外国語を学んでも、その外国語で簡潔・明瞭に表現することはできません。

　日本語で明確な表現ができなければ、通訳や翻訳に頼ることすらできません。

　以上の理由から、「国際ビジネスマンにとっても、まずは日本語の文章力」なのです。

第4章 分かりやすく書く

ヒント37 [読み手に頭を使わせない]

> 文章は、「最後まで読んで考えれば、分かるはずだ」ではいけません。「考えなくても、読むそばからスラスラ分かる文章」が、いい文章です。

　読むときには頭を使って当然だと思うかもしれませんが、それは書かれたことが分かった後の話なのです。文章を読むことは、単に他人の思想の後をたどる受身の作業ではありません。読むことによってあれこれ思いがふくらみ、自分の考えが展開するきっかけを与えてくれるものです。それが文章を読むことの楽しさです。

　その段階では大いに頭（想像力、創造性）を働かせたいものですが、そこに至る以前に、つまり書かれた言葉の意味を理解するためには、頭を使いたくないものです。ましてや、「何を言いたいのか分からない」と思って、何度も読み返し頭を悩ますのは、ただ腹立たしいだけです。

　社会の中で皆さんが文章を書くときに、読み手を腹立たしい思いにさせることがあっては、皆さんの価値がどんどん下がるばかりです。その反対に、「そうだ、そうだ。よく分かる」と思って、快く読んでもらえるような文章をぜひ書きましょう。

　この後、本章の「ヒント38」から「ヒント48」までに書かれていることは、すべて「読み手に頭を使わせない」文章を書くための具体的なテクニックです。

ヒント38 主役は早く登場させる

> 書き手と読み手は、少しでも早くその文章の主役（主題）を共有すべきです。

 歌手、高橋真梨子のことをインターネット上のウィキペディアで調べていましたら、次のような文章に出合いました。少し分かりにくいかもしれませんが、この文章の主役を探し当ててみてください。

> 火曜サスペンス劇場の主題歌として同番組のターゲットである主婦層から絶大な支持を受け、自身では最大のヒット、番組の主題歌としては岩崎宏美の聖母たちのララバイに次ぐ売上を記録し、さらにはカラオケチャートでも40-50代女性の中で1位となった「ごめんね…」や〜　　　（2009年7月1日15時現在のウィキペディアより）

 最後まで読めば分かったと思います。この文章の主役は「ごめんね…」という曲なのですが、その登場の前に修飾語が延々と続いています。書いている本人は最後に登場する主役が何なのかを知っています。しかし、読み手のほうはそれを知りません。ですから何の話か訳が分からないままじっと耐えて、主役の登場を待たねばなりません。このような文章が明快と言えないことは、明らかでしょう。

 「『ごめんね…』という曲は火曜サスペンス劇場の主題歌として……」と書き始めれば、問題は一気に解決します。

> **原文▶** スムージーの一番人気は、100パーセント・アップルジュース、イチゴ、バナナ、アイス、ノンカロリー・フローズン・ヨーグルトをミックスした「ストロベリー・ワイルド」である。
>
> ⬇
>
> **改善▶** スムージーの一番人気は、「ストロベリー・ワイルド」である。100パーセント・アップルジュース、イチゴ、バナナ、アイス、ノンカロリー・フローズン・ヨーグルトをミックスしたものだ。

　この原文も、最後まで読まないと何の話か分かりません。それのみならず、読み始めたときには、「スムージーの一番人気は、100パーセント・アップルジュース」と誤解してしまいそうです。改善案のように、「ストロベリー・ワイルド」という主役を冒頭に登場させれば、読み手は何の不安もなく読み進むことができます。

> ▶ アメリカでは、インターネットの普及を利用し、コンピュータ技術とカウンセリングの結合が進められている。メールとカメラとマイクを用いてカウンセリングを行なうのである。
>
> ⬇
>
> ▶ アメリカでは、今までになかった新しいカウンセリングが行なわれている。インターネットを利用し、メールとカメラとマイクを用いてカウンセリングを行なうのである。

　この原文には最初に、「インターネット」「コンピュータ技術」「カウンセリング」という3つの言葉がほぼ対等の形で登場します。

にわかには、どれが主役なのかが分かりません。

　改善案では、「新しいカウンセリング」が主役であることが、最初に明確に示されています。そうすれば、後の文章の理解がずっと容易になります。

　以上のように説明すれば、主役をなるべく早く登場させようという提案に多くの人が賛成してくれるでしょう。

　ところが、いざ自分が文章を書く段になると、そのことをうっかり忘れてしまうことが少なくありません。それは、書こうとすることを自分の側からばかり見て、相手の側に回って見直してみる習慣がないからです。

ヒント39 修飾語は直前に置く

　書いている人は、すべての関係を分かっています。だからつい、思いついた順に書いてしまいがちです。しかし、読む人は何も知らないので、書かれた順に言葉を受け止め、理解するしかないのです。
　この点で特に注意を要するのは、修飾語の位置です。修飾語は、なるべく被修飾語の直前に置くようにしましょう。

原文▶	山田は5オーバーでかろうじて優勝の翌週に予選落ちという不名誉を免れた。
改善▶	先週優勝した山田は5オーバーで、予選落ちという不名誉をかろうじて免れた。

　これはプロゴルフの2日間の予選が終わったときの記事です。この「かろうじて」は「免れた」の直前に置くべきです。原文は一瞬、「かろうじて優勝」したのかと誤解させてしまいます。

▶　他の日曜日に練習する必要がある部に呼びかけて、日曜日の練習を許可してほしいと一緒に大学に申請した。

▶　日曜日に練習する必要がある他の部に呼びかけて、日曜日の練習を許可してほしいと一緒に大学に申請した。

「他の」は「部」を修飾する言葉ですから、その直前に持ってくるべきです。原文は、「他の日曜日」とも読めてしまいます。

▶ なぜ、父への反抗を自分の存在理由にしてきた彼女が、今回は父からの命令を受け入れたのだろうか。

⬇

▶ 父への反抗を自分の存在理由にしてきた彼女が、今回は父からの命令をなぜ受け入れたのだろうか。

　読み手は「なぜ」を読んだ後、その言葉がどこにかかるのだろうかと、いちいち言葉をチェックしながら読み進むことになります。そしてようやく「受け入れた」にたどり着きます。読み手に余計な頭を使わせないようにしましょう。次の例も同じです。

▶ 私は一番、娘が旅をしながら自分と父親とを比べている場面が印象的だった。

⬇

▶ 私は、娘が旅をしながら自分と父親とを比べている場面が一番印象的だった。

▶ 彼はすべて人生が狂ったのは、病気のせいだと考えるようになった。

⬇

▶ 彼は人生が狂ったのは、すべて病気のせいだと考えるようになった。

ヒント40 「これ」「それ」は直前の言葉を指す

> 「これ」「それ」「あれ」、「ここ」「そこ」「あそこ」などの指示代名詞は、しばしば読み手に混乱をもたらします。誰が読んでも誤解の余地のない直前の言葉を指すときにのみ、指示代名詞を使うべきです。

祖父が入院したのは２カ月前のことである。それまで元気だったが、急激に瘦せてしまったのである。そんな祖父を見て、皆が心配し病院に行くように勧めていた。しかし病院嫌いで頑固な祖父は、一向に病院に行こうとしなかった。

　この文章の前半を読んだ人は、ほぼ例外なく「祖父は入院した２カ月ほど前に急に瘦せたのだろう」と考えるでしょう。

　ところが後半を読むと、それではつじつまが合いません。急に瘦せてからずいぶん長い間、祖父は病院に行くのを拒んでいたと書かれているからです。

　これを書いた人は、「以前は元気だった」というような軽い気持ちで「それまで」と書いたのでしょうが、このような使い方は禁物です。

　事実に即して、たとえば「入院する３カ月くらい前から急激に瘦せてしまったので、皆が心配して病院に行くように勧めていた」というふうに書けば、誤解が生じません。

ヒント41 [読点は、意味の切れ目に打つ]

> 読点（、）は、息継ぎ記号ではありません。1つの文の中で、意味の固まり（言い換えると、意味の切れ目）を視覚的に示すものです。
>
> 読点が的確な位置に打たれていれば、読んでみてから意味の切れ目を考える手間を省いてくれます。その結果、読みやすくなり、理解しやすくなります。ときには、違う意味に誤解するのを防いでもくれます。読点の役割は、とても大きなものがあります。

それでは、どのような所に読点を打てばいいかを、文例とともに示してみましょう。

1 「長い主語」「長い述語」「長い目的語」の切れ目

原文▶	1971年に愛知県でつくられたココストア1号店が日本で最初のコンビニだと言われている。
	⬇
改善▶	1971年に愛知県でつくられたココストア1号店が、日本で最初のコンビニだと言われている。

長い主語、長い述語、長い目的語の切れ目に読点を打つと、意味の固まりが一目で分かります。

「私は、」のように主語の後に自動的に読点を打つ人がいますが、

そのような短い主語の後には、読点は必ずしも必要ありません。

▶ 一般の人が同じ行動をとってもそんなに騒がれることもないであろうこの事件は繰り返し大げさに報道された。

⬇

▶ 一般の人が同じ行動をとってもそんなに騒がれることもないであろうこの事件は、繰り返し大げさに報道された。

▶ 低所得者向けに無理矢理組んだローンを証券会社が、あたかも信用度の高い商品であるかのように転売した。

⬇

▶ 低所得者向けに無理矢理組んだローンを、証券会社があたかも信用度の高い商品であるかのように転売した。

最後の例は、長い目的語の後に読点を打ったものです。ここに大きな意味の切れ目があります。「証券会社が」の後の読点は、不要です。

2 「原因」と「結果」、「理由」と「結論」の間

原文 ▶	私は小説が好きなので新しい小説を手にするだけでワクワクする。
	⬇
改善 ▶	私は小説が好きなので、新しい小説を手にするだけでワクワクする。

このように、原因と結果、理由と結論からなる文章は、とても多く見られます。その間に読点を打つと、文章の構造が一目で分かります。

▶ せっかく新しい生活を始めるのだから家具も新しくそろえたい。

⬇

▶ せっかく新しい生活を始めるのだから、家具も新しくそろえたい。

▶ 1人きりの食事はとても味気ないので食欲があまり湧かない。

⬇

▶ 1人きりの食事はとても味気ないので、食欲があまり湧かない。

▶ ひどい人ごみの中で人の流れに呑まれて抜け出せず目的地と違う所に出てしまった。

⬇

▶ ひどい人ごみの中で人の流れに呑まれて抜け出せず、目的地と違う所に出てしまった。

▶ 自分の子供に暴力を振るったり、食事を与えなかったりしてときには死に至らせることもあるというのは信じ難いことだ。

⬇

▶ 自分の子供に暴力を振るったり、食事を与えなかったりして、ときには死に至らせることもあるというのは信じ難いことだ。

▶ ニュースで大きく取り上げられる犯罪は、たくさんあり過ぎて惨い殺人事件などもしばらくすると忘れてしまう。

⬇

▶ ニュースで大きく取り上げられる犯罪はたくさんあり過ぎて、惨い殺人事件などもしばらくすると忘れてしまう。

最後の例は長い主語があるので、「犯罪は」で切るのがいいと思うかもしれませんが、全体を見ると「こうだから、こうだ」という因果関係を表わす文になっています。その構造を示したほうが、読みやすくなります。

3 「前提」と「結論」の間

原文▶ 私のことを認めてくれる人がたとえ少数でもいてくれれば私はそれで嬉しい。

⬇

改善▶ 私のことを認めてくれる人がたとえ少数でもいてくれれば、私はそれで嬉しい。

前提の説明が終わった所で点を打つと、分かりやすくなります。

▶ アルバイトに精を出さなくても生活費に困ることはない。

⬇

▶ アルバイトに精を出さなくても、生活費に困ることはない。

▶ もし宝くじで1億円当たったらまずは、一人暮らしを始めよう
と思う。

⬇

▶ もし宝くじで1億円当たったら、まずは一人暮らしを始めよう
と思う。

▶ 何か異常なことが、起こりましたら職員に声をかけてください。

⬇

▶ 何か異常なことが起こりましたら、職員に声をかけてください。

　最後の2つの例は、意味の切れ目を考えると、原文の読点の位置
が適当でないことが分かると思います。

4 「状況・場の説明」と「そこで起きていること」の間

原文▶ 7月に白馬岳を登って行くと足元に無数の、高山植物が咲
き乱れている。

　この文の読点は、あたかも息継ぎ記号のような場所に打たれてい
ます。その結果、「無数の高山植物」という一連の意味の固まりが、
読点で分断されています。
　意味の切れ目を考えるならば、次のような位置に読点を打つこと
が望ましいと思います。

改善▶ 7月に白馬岳を登って行くと、足元に無数の高山植物が咲
き乱れている。

このように状況説明と、そこで起きていることとの間に読点があると、意味がすんなりと理解できます。

▶ | 初めて営業という仕事にまわされて非常に苦労している。　➡
▶ | 初めて営業という仕事にまわされて、非常に苦労している。

▶ | 私が感動的なシーンで泣いている姿を見ると友達は「意外と涙もろいね」と言う。
⬇
▶ | 私が感動的なシーンで泣いている姿を見ると、友達は「意外と涙もろいね」と言う。

▶ | 人が自分のことを見て笑っていたりすると私は嫌われているのかなと、不安を感じる。
⬇
▶ | 人が自分のことを見て笑っていたりすると、私は嫌われているのかなと不安を感じる。

　次は、場所を示す長い説明が終わった所で読点を打ったケースです。そこに意味の切れ目があると思います。

▶ | 小樽で途中下車したときに見た、駅舎の中のポスターにはとても温かな街の灯りが写っていた。
⬇
▶ | 小樽で途中下車したときに見た駅舎の中のポスターには、とても温かな街の灯りが写っていた。

原文は、「見たポスター」という一連の意味の固まりが、読点で分断されていました。

5 時間や場面が変わるところ

> **原文▶** 彼は1年前に、転職して今は順調にやっている。　➡
> **改善▶** 彼は1年前に<mark>転職して、</mark>今は順調にやっている。

　この文を書いた人は、「彼は1年前に」まで書いたところで、無意識に読点を打ったのでしょう。しかし、「1年前に転職した」「今は順調にやっている」という2つの意味の固まりを区別すべきです。その間に1年もの時間が経過しています。

▶ 私は大学では陸上部でしたが会社では、テニス部に入りました。

⬇

▶ 私は大学では<mark>陸上部でしたが、</mark>会社ではテニス部に入りました。

▶ アンネは、ずっと隠れ家で生活していたがある日、ゲシュタポに見つかってしまう。

⬇

▶ アンネはずっと<mark>隠れ家で生活していたが、</mark>ある日ゲシュタポに見つかってしまう。

　「ずっと隠れていた」「ある日見つかった」という場面転換のところに、読点がほしいケースです。「ある日見つかる」という一連の意味の固まりを、途中で読点で分断しているのも適切ではありませ

ん。「アンネは」という短い主語の後には、読点は不要です。

6 逆接に変わるところ

原文▶	警視庁の調べでは年々凶悪事件が減少しているが私たちの印象はそうではない。
	⬇
改善▶	警視庁の調べでは年々凶悪事件が減少しているが、私たちの印象はそうではない。

　逆接というのは、文章の流れがそれまでとは逆に向かうことです。当然、そこに意味の切れ目があります。それを視覚的にも示せば、分かりやすくなります。

▶ 韓国料理というと、キムチや唐辛子入り料理などの、辛いものをイメージするが宮廷料理は辛くない。

⬇

▶ 韓国料理というと、キムチや唐辛子入り料理などの辛いものをイメージするが、宮廷料理は辛くない。

▶ 本が好きだという気持ちとは裏腹にその年は、本にほとんど触れることがなかった。

⬇

▶ 本が好きだという気持ちとは裏腹に、その年は本にほとんど触れることがなかった。

7 2つのものを対比するとき

原文▶ 初めての海外生活を楽しみにする一方で見知らぬ土地で長い間生活することに不安を抱いていた。

⬇

改善▶ 初めての海外生活を楽しみにする一方で、見知らぬ土地で長い間生活することに不安を抱いていた。

期待と不安という相反するものについて書くのですから、その間に読点を打つと対比が明らかになります。

8 隣同士の修飾語の間に、予想外の関係が生じてほしくない場合

原文▶ より多くの地域になじみのない人に、コミュニティ活動に参加してもらいたい。

⬇

改善▶ より多くの、地域になじみのない人に、コミュニティ活動に参加してもらいたい。

「人」の前に、「より多くの」という修飾語と、「地域になじみのない」という修飾語が付いていますが、「より多くの地域」と読んでしまう人も少なくないでしょう。隣り合った修飾語同士が、想定外の修飾・被修飾の関係を持ってしまうケースです。

このような場合には、2つの修飾語の間に読点を打つか、あるいは「地域になじみのない多くの人に」のように語順を変える工夫を

します。

9 よく使われる別の意味の表現と区別したいとき

原文▶ この製品に**より多くの**電力を節約することができます。

⬇

改善▶ この製品により、多くの電力を節約することができます。

ここでは、「より多くの」と続けて読まれると、別の意味になってしまいます。そのために間に読点を打ちました。

▶ 倫理的な問題が**ありそう**簡単にはいかないと思う。　➡
▶ 倫理的な問題があり、そう簡単にはいかないと思う。

▶ ある日私は携帯**である**音楽サイトに登録した。　➡
▶ ある日私は携帯で、ある音楽サイトに登録した。

▶ **今夜**の11時だ。　➡
▶ 今、夜の11時だ。(「今夜（こんや）」なら読点は不要)

これらは、「ありそうだ」「である」「今夜」というよく使われる別の言葉と混同されないように、読点を打ったケースです。

10 ひらがなばかり、漢字ばかり、カタカナばかりが続く場合

原文▶ そのようなことはまっぴらごめんです。　➡
改善▶ そのようなことは、まっぴらごめんです。

　日本語は、漢字、ひらがな、カタカナが適宜混ざっていると、言葉の切れ目が分かりやすくなります。後に詳しく述べる「パターン認識」がしやすいからです。しかし、どれか1種類の文字ばかりが続くと、言葉の切れ目が分かりにくくなります。

▶ 父は私たちのことが可愛くて仕方ないらしくよくちょっかいを出してくる。

⬇

▶ 父は私たちのことが可愛くて仕方ないらしく、よくちょっかいを出してくる。

▶ その提案は一見費用対効果の面から問題があるように見える。

⬇

▶ その提案は一見、費用対効果の面から問題があるように見える。

以上をまとめると、次のようになります。

読点がほしいところ

❶ 「長い主語」「長い述語」「長い目的語」の切れ目
❷ 「原因」と「結果」、「理由」と「結論」の間
❸ 「前提」と「結論」の間
❹ 「状況・場の説明」と「そこで起きていること」の間
❺ 時間や場面が変わるところ
❻ 逆接に変わるところ
❼ 2つのものを対比するとき
❽ 隣同士の修飾語の間に、予想外の関係が生じてほしくない場合
❾ よく使われる別の意味の表現と区別したいとき
❿ ひらがなばかり、漢字ばかり、カタカナばかりが続く場合

これらはどれも、意味の固まり（意味の切れ目）を、読者に一目で分かってもらうための配慮でした。
　その目的のために読点を打ちたいケースは他にもあるでしょう。たとえば長い挿入句があればその前後を読点で挟むなど、適宜応用を利かせてください。

　一方で、すでにいくつか例がありましたが、一連の意味の固まりを読点で分断することは避けるべきです。

原文▶	そこに勤める人々は必然的に深夜に、食事を摂る。 ➡
改善▶	そこに勤める人々は、必然的に深夜に食事を摂る。

▶ もっと、勇気を出して、良いと思ったことをためらわずにやってみたい。

⬇

▶ もっと勇気を出して、良いと思ったことをためらわずにやってみたい。

▶ 犯罪によって、命が失われていくことに、麻痺してきた。

⬇

▶ 犯罪によって命が失われていくことに、麻痺してきた。

「深夜に食事を摂る」「もっと勇気を出す」「犯罪によって命が失われる」という意味の固まりを、読点で分断しないようにします。

第4章 分かりやすく書く

ヒント42 省略された主語は変えない

1つの文は、なるべく同じ主語で貫くようにします。特に、主語を省略しているときに、途中でそれを変えるのは避けるべきです。

原文▶ 映画によってときには考えさせられ、ときには新しいことを教えてくれた。

⬇

改善▶ 映画によってときには考えさせられ、ときには新しいことを学ぶことができた。

原文に省略されている主語を補ってみると、前半は「私は考えさせられ」であり、後半は「映画は教えてくれた」です。このように1つの文の中で省略された主語を変えると、読者を困惑させてしまいます。改善案は、「私は」という主語で一貫させています。

▶ 両親が私をここまで育ててくれたことと、大学に通わせてもらっていることに感謝している。

⬇

▶ 両親が私をここまで育ててくれ、大学にも通わせてくれていることに感謝している。
または
両親にここまで育ててもらい、大学にも通わせてもらっていることに感謝している。

ヒント43 ［ぼやかして書かない］

　あるテレビ番組で、若い女性アナウンサー3人が東京日本橋の室町小路をたどるのを観ていましたら、1人のアナウンサーがある建物に目を止めて、「これ、料亭とかみたいな感じ？」と言いました。間違って恥をかきたくないので、「とか」「みたいな」「感じ？」と何重にも防衛ラインを張ったのかもしれませんが、その話し方のほうがかえって恥ずかしいように思いました。

> 何かを伝えることを目的とした文章を書くときには、ぼやかしたりせずに、ストレートにはっきりと表現しましょう。

原文▶ 最初のうちは、会社の規則や先輩から教えられる中で、業務をこなす感覚だと思います。

⬇

改善▶ 最初のうちは、会社の規則や先輩から教えられるやり方を守って業務をこなすだけで、精一杯だと思います。

　ここでは特に、「感覚だ」という表現が何を意味するのかが曖昧です。上の女性アナウンサーが口にした「感じ」に似ています。改善例は、言いたかったであろうことを推し量りながら、ストレートに書いてみました。

　上の例の場合、「中で」は多分「教えられながら」というような意味で使ったのでしょうが、この書き手には、「中で」を次のよう

に曖昧なつなぎ語として多用する傾向がありました。

▶ 多くのお客様と接する中で、接客のプロとして認められるようになりたいと思います。

⬇

▶ 多くのお客様と接して経験を重ねながら、接客のプロとして認められるようになりたいと思います。

▶ 10年後も仕事を続けている中でいつも初心を忘れず、笑顔を大切にして接客に励みたいと思います。

⬇

▶ 10年後もいつも初心を忘れず、笑顔を大切にして接客に励みたいと思います。

このようにはっきり書いたことが適切ではないともし批判を受けたら、その批判を肥やしにしましょう。

▶ 自分の手で野菜をつくったりすることは、植物の大切さなどを改めて実感することができるようになると思う。

⬇

▶ 自分の手で野菜をつくれば、植物の大切さを改めて実感することができると思う。

これも、「つくったり」「など」とぼやかさずに、はっきりと書きましょう。また「つくることは、実感することができる」では、前半と後半がかみ合いません。

ヒント44 明確な「つなぎ語」を使う

因果関係を表わすときに、日本人は婉曲的に少し曖昧に書きたがる傾向を持っています。それを私は「曖昧接続」と呼んでいます。

原文▶ 私はこのようなトレーニングに参加したことがなく、大変参考になった。

⬇

改善▶ 私はこのようなトレーニングに参加したことがなかったので、大変参考になった。

▶ このような発表を前にも試みており、戸惑うことがなかった。

⬇

▶ このような発表を前にも試みていたので、戸惑うことがなかった。

▶ 中小規模の書店の売上は、雑誌が大きな割合を占め、コンビニとの差別化が重要になっている。

⬇

▶ 中小規模の書店の売上は、雑誌が大きな割合を占めるので、コンビニとの差別化が重要になっている。

これ以外にも、「事件が発生し」「賛成を得られず」のような曖昧な表現で原因を表わすのは避けるべきです。もちろん最後まで読め

ば理解はできるのですが、はっきりと「……なので」と書くか、「したがって」「よって」「ゆえに」などのつなぎの言葉でそれを示したほうが明快です。

> **原文▶** 自動車産業はかつて「産業の中の産業」と呼ばれ、高い成長力と収益力を誇る中、人々の生活スタイルにも大きな影響を与えてきたが、今逆風に直面している。
>
> ⬇
>
> **改善▶** 自動車産業はかつて「産業の中の産業」と呼ばれ、高い成長力と収益力を誇る一方で、人々の生活スタイルにも大きな影響を与えてきたが、今逆風に直面している。

前項にもありましたが、「中」は、前後を曖昧につなぐ言葉として使われる傾向があります。

この場合、「誇る中」を不適切とまでは言い切れないかもしれませんが、「産業として栄えた」という事実と、「人々の生活スタイルに影響を与えた」という事実は別個のものですので、「中」ではなく、「一方で」のような表現のほうがより適切だと思います。あるいは単純に「誇り、」と続けてもいいと思います。

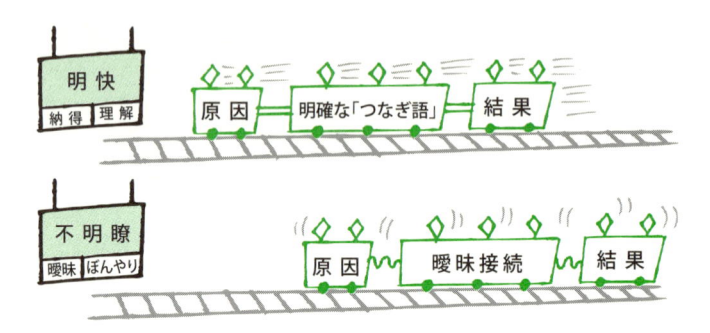

ヒント45 [何でも「ことで」でつながない]

　このごろのテレビ放送には、「ことで」が氾濫しています。さまざまな原因や前提や手段を、「ことで」1つで表わす風潮が生まれているからです。その影響だと思いますが、文章にもやたらに「ことで」が目立つようになりました。

第4章 分かりやすく書く

原文▶ オリンピックが開催されることで、外国人観光客が増える。
⬇
改善▶ オリンピックが開催されると、外国人観光客が増える。

▶ 外国人と接する機会が増えることで、外国語力が向上する。
⬇
▶ 外国人と接する機会が増えれば、外国語力が向上する。

▶ 身近に外国語が存在することで、外国語に対する嫌悪感も薄れる。
⬇
▶ 身近に外国語が存在すれば、外国語に対する嫌悪感も薄れる。

▶ 互いに相手の国を理解することで、経済的交流も活発になる。
⬇
▶ 互いに相手の国を理解することによって、経済的交流も活発になる。

他にも多くの「ことで」の例に出合います。

▶ 常にアンテナを張ることで情報収集をしたい。　➡
▶ 常にアンテナを張って情報収集をしたい。

▶ 出身地や趣味など、相手のことを知ることで会話のきっかけになる。

⬇

▶ 相手の出身地や趣味などを知れば、会話のきっかけになる。

▶ 店に足を運んでもらうことで、「ついで買い」という相乗効果も期待できる。

⬇

▶ 店に足を運んでもらえれば、「ついで買い」という相乗効果も期待できる

▶ 一緒にいることで多くの刺激を受けられます。　➡
▶ 一緒にいると多くの刺激を受けられます。

　「ことで」は元来、「この地は、夏の暑さが厳しいことで知られている」のような場合に、さりげなく使われる言葉であったのではないでしょうか。
　何でも「ことで」1つですますと、単調で安易な印象を与えてしまいます。せっかく多様な表現があるのですから、状況に応じて適切な言葉を使い分けましょう。

ヒント46 箇条書きを活用する

　いくつかのことを列挙する際には、それを書き流してしまわずに、ぜひ箇条書きにすることを勧めます。文字数も削減できますが、それ以上にとても分かりやすくなります。

　書き流していたときには気づかなかった論理的矛盾や、曖昧さや、余計な部分、抜けなどが明らかになることもあります。

原文▶

　社員から見た場合、キャリアデザインを描くことによって、学習について戦略的・長期的目標が得られる。つまり、基礎から専門教育までの学習内容が明確かつ体系的になる。そのために学習意欲が増すだけでなく、得られた能力の稼働率も上がることが期待される。社内教育制度のあり方についても、各人が積極的に考えるようになる。

　社内教育制度から見ても、求める人材像について、社員と目線を合わせて話し合うことができる。それによって、求める人材像に近づいてもらうための学習コースを、それぞれの学習者に合わせて具体的にアドバイスすることができる。

　企業の中でこのような文章を書いても、上司や関連部署の人はなかなか理解してくれないでしょう。よほど注意深く読まないと、論点がつかめないからです。

　次のように箇条書きにすれば、はるかに分かりやすくなります。

論点を１つひとつ取り上げて、議論することも容易になるでしょう。

> **改善▶** キャリアデザインを描くことによって、次のようなメリットが得られる。
>
> **＜社員から見たとき＞**
> ・基礎から専門教育までの学習内容が、明確かつ体系的になる。
> ・得られた能力がより活用される可能性が高まる。
> ・そのため、学習意欲が増す。
> ・社内教育制度のあり方についても、各人が積極的に考えるようになる。
>
> **＜会社側から見たとき＞**
> ・求める人材像について、社員と目線を合わせて話し合うことができる。
> ・学習コースを、各学習者に具体的にアドバイスすることができる。

このように箇条書きの効用を説くと「なるほど」と言ってくれても、いざ新しい文章を書くとなると、それをすっかり忘れて書き流してしまう人が少なくありません。最初はことあるごとに、「これは、箇条書きにできないだろうか」と考えてみてください。

ヒント47 話は1つずつすませる

> これは、少し長い文章の構成に関する問題です。議論すべき点がいくつかあるときには、話を1つずつすませるようにしましょう。

　小学生の子供を長期入院させているお母さんが、看護師長に3つの要望を出そうとして文書にまとめました。その要点は、次のようなものでした。

（1）親がいないときに回診があった場合には、先生の診断結果を看護師から聞かせてほしい。

（2）面会する親が飲食できるスペースを看護センターの近くにつくってほしい（子供の目につく所で飲食することは禁じられているので、面会中は飲み食いができない）。

（3）学童の生活指導、学習指導について、配慮がほしい。

どの要望も、「なるほど」と思うようなもっともなものでした。しかし、この要望書の原文には構成上の問題がありました。

1．現状分析　（1）（2）（3）
2．現状分析からみた改善の課題　（1）（2）（3）
3．課題別改善策　（1）（2）（3）
4．結論　（1）（2）（3）
5．所感

のように、各要望が、1〜5に分けて書かれていたのです。これでは、どれか1つの問題について考えるために、飛び飛びに5カ所読まねばなりません。

3つの問題は、相互に関連の薄い別個のものでしたから、

<要望1>　医師の診断結果の親への説明について（現状、改善案）
<要望2>　面会中の飲食について（現状、改善案）
<要望3>　学童の生活支援について（現状、改善案）

と構成し直してみたら、分かりやすくなりました。1つひとつ問題を話し合うにも、そのほうが好都合だと思います。

ある企業で文章指導したときにも、2つの提案を、

提案　（1）（2）

背景（課題・原因）（1）（2）

解決策　（1）（2）

という構成でまとめた文書の添削を依頼されました。これも、読み手は飛び飛びに3カ所読まなくてはなりません。まず提案（1）について話を完結させ、それから提案（2）に移るほうが望ましいと思いました。

なお、このような要望や提言をまとめる際には、項目の立て方をなるべくシンプルにすべきです。多くは、「現状」と「改善案」の2つに整理することができます。それを、目的、現状、課題、原因、背景、提案、さらには概要、本文、所感などというさまざまな項目を立てて、複雑にしてしまっている例をしばしば見かけます。概念の整理ができていないと、そうなりがちです。

ヒント48　キーワードを抜かさない

話の大前提となるキーワードは書き手にとってあまりにも当たり前なので、抜けてしまうことがあります。

原文▶ 開店当初は10人前後だったお客さんを、今では100人以上にまで増やすことができた。

⬇

改善▶ 開店当初は 1日 10人前後だったお客さんを、今では100人以上にまで増やすことができた。

▶ このような報道は、プライバシーに欠ける。

⬇

▶ このような報道は、プライバシーに対する配慮に欠ける。

▶ 私の特徴は、人に話しかけることができるところです。

⬇

▶ 私の特徴は、初対面の人に、すぐに話しかけることができるところです。

　自分の頭の中にあったはずの「初対面の」と「すぐに」を言葉にしなければ、相手に意が伝わりません。

第4章のまとめ

- 主役（主題）は、早く登場させる。
- 修飾語は、被修飾語の直前に置く。
- 指示代名詞は、直前の言葉を指すようにする。
- 読点を、意味の切れ目に打つ。
- 省略された主語は変えない。
- ぼやかして書かない。
- 明確な「つなぎ語」を使う。曖昧接続を避ける。
- 何でも「ことで」でつながない。
- 箇条書きを活用する。
- 話は1つずつすませる。
- 話の大前提となるキーワードを抜かさない。

　本章で述べたいくつものヒントは、すべて「頭を使わなくても、読むそばからスラスラ分かるように書く」ための具体的な方策です。

　それを支えるのは、「読み手の身になって感じたり、考えたりする想像力」です。それについては、後に「コラム6　想像力が決め手」で、もう一度触れます。

コラム4

日本語は曖昧か

　私は主として日本語と英語で仕事をし、数年ずつ暮らした3カ国の言葉（タイ語、韓国語、イタリア語）にも接してきましたが、一部の人が信じているように日本語が曖昧だとか非論理的だとかいうことはまったくないと思います。日本語でも英語でも他の言葉でも、明快で論理的な表現もできれば、曖昧で非論理的な表現もできます。

　ただ、日本人に曖昧な表現を好む傾向があるのは確かです。つまり、言葉が曖昧なのではなくて、人々がときにそれを曖昧に使おうとするのです。

　その理由は、主として次の4つではないかと思います。これらは、私が日本勤務と海外勤務を交互に繰り返している間に、日本人についてしばしば感じたことです。

（1）日本では、お互いに相手が「一を聞いて十を知る」利発さを持っていると信じているかのように振る舞うので、すべてを明確な言葉で説明してしまったら失礼にあたると考える。

（2）日本は同質社会で、人と同じであることがいいことであり、人と違ったことを言うと白い目で見られるので、相手との意見の相違があからさまにならないように、お互いに曖昧な表現で相手の意向を探り合おうとする。

(3) 相手を敬い、相手に裁量の余地を残そうとして、意図的にぼやかした表現で相手の意向を問いかけようとする。

(4) 長い間、以心伝心を理想としてきたので、とかくそれに甘えてしまって、「言い回しはまずいかもしれませんが、私の言いたいことは察していただけると思います」と相手の好意に期待してしまうところがある。先輩が後輩に、「そこまで言わなくても分かるだろう」「俺に、そこまで言わせるのか」などと言って、正確な言葉できちんと説明することを怠る風潮もあった。

（参考文献：森本哲郎／『日本語 表と裏』／新潮社）

　このようなことでは国際的なコミュニケーションに齟齬が生ずるのみならず、日本人同士でもコミュニケーションの欠落や誤解が生じ、ときにはそれによって重大な事故を招いてしまいます。特に仕事においては、曖昧な表現を避けたいものです。

第5章
簡潔に書く

ヒント49 [いきなり核心に入る]

> どういう訳か前置きなしには文章は始まらないと考えている人がいますが、あまり内容のない前置きは、読み手の気持ちを遠ざけてしまいます。

「私の特徴」という題のある文章の冒頭を、私は次のように直しました。

原文▶ 人間は元来多面的な生き物で、いわゆる他の動物の特徴と呼べるようなひとくくりの言葉でその特徴を言い表わすことは難しい。私個人の特徴となると、さまざまな部分の集合体であるからさらに難解さを増す。外面的な特徴か内面的な特徴かと迷うところではあるが、私はよく人に「竹を割ったような人」と評されるので、このことに着目し、私の特徴について述べることとする。

↓

改善▶ 私はよく人に、「竹を割ったような性格」と評される。

自分の特徴について書くときに、「人間の特徴と動物の特徴の比較」という視点は、関係がなさそうです。話をあまりに遠いところから始めるのは、勧められません。

「出された課題は難解です」と書くのは、マイナスはあってもプラスはありません。問題から逃げようとしている、という印象を与

えてしまいます。

　外面的特徴（体格、容貌など）と内面的特徴（性格、価値観、趣味など）のどちらを書こうか迷うなどと言っていないで、早く決めて書き始めてほしいと読み手は思うでしょう。

　「このことに着目し、私の特徴について述べることとする」も、言わずもがなです。

　次の２つも、似たような例です。

▶ 私たち人間をはじめとするすべての生き物には、１人ひとり、違った外見、性格などの個性があり、決して同じものはない。これはよく言われることだが、そんな個性を持つ生き物の一員でもある私の最大の特徴は、「寛容な心」を持っていることだと思う。

⬇

▶ 私の最大の特徴は、「寛容な心」を持っていることだと思う。

▶ 「私の特徴」という課題を聞いてまず頭に浮かんだのは、「特徴イコール性格」という式だった。だが、特徴と性格は、意味の異なるものだと思う。辞書を引いてみると、特徴は他と異なって特別に目立つところとある。性格は個人に特有のある程度持続的な、感情・意志の面での傾向や性質とあった。似ているようで違う。そんな気もするが、私には取り立てて言うほどの特徴はないと思うので、性格のことも取り入れて話したいと思う。まず１つ目は、変わったあだ名があることだ。

⬇

▶ 私には、変わったあだ名がある。

以上の3つの例のように、あまりにも当たり前な、あるいは未整理でややこしい前置きを書くのは有害・無益です。どれも冒頭の文章は、1行ですむものでした。後は、すぐに本題に入るのがいいと思います。

　次は、企業の中で書かれたある提言です。

> 「職場のモチベーションを上げる方法」
> 職場のモチベーションをアップさせることは、職場をもっと元気にすることだと考えました。そのためには職場で働いている人を元気にする必要があります。そこで働く人から元気を奪う原因と、元気を与えられる解決案を考えました。

　この例では、「職場のモチベーションを上げる方法」というタイトルを見たときに、読み手は主題を理解し、早くその提案を聞きたいと思います。それなのに格別意味のない前置きを読まされると、もどかしくなります。タイトル以外の4行は不要です。

　社会人や学生が文章を書くときには、勇気を持って、いきなり核心に入りましょう。それを読み手は待っています。

ヒント50 [削れる言葉は徹底的に削る]

　社歴10年ほどのビジネスマンを対象に文章指導をしていても、ムダな言葉を挟みながら、長く、長く書いてしまう傾向がよく見られます。

次の例は、添削で文字数をほぼ60パーセント削減したものです。

原文▶ 結論が先に書いてある文章であれば、その続きを読むべきか、それ以降は省略できるのかを簡単に判断ができます。そんな経験を通して、結論から書くことの大切さを認識することができました。結論から書くことが、完璧にできているとは到底思っていませんが、これからも一番に留意したい点です。(136字)

↓

改善▶ 結論が先に書いてあれば、その続きを読むべきか、読まなくていいかを簡単に判断できます。だから結論から書くべきです。(56字)

「ある文章で」は、削除したほうがスッキリします。

「その続き」と「それ以降」は重複しています。

「そんな経験を通して、結論から書くことの大切さを認識することができました」は、「だから結論から書くべきです」と短く書くことができます。「結論から書くことが」に始まる最後の文には、

書き手の謙虚さが表れているもののそれ以外の格別のメッセージが含まれていないので、省きたいと思います。

　次の例は、約3分の1を削除したものです。主として、網かけした部分を削りました。

▶ 文章を書くにあたり、私が苦労している点は、自分が書いた文章を読み返したときに、「分かりにくい」という感想を抱いてしまうことです。それに気がついたのだから分かりやすく訂正すれば良いと思うのですが、少しずつ訂正している間に、分かりやすい文章になったのか、さらに分かりにくくなったのかの判断すらつかなくなり、そのままにしてしまうということが多々あります。(173字)

⬇

▶ 自分が書いた文章を読み返したときに、「分かりにくい」と思うことがしばしばあります。しかも、何とか分かりやすくしようと少しずつ訂正している間に、分かりやすくなったのか、さらに分かりにくくなったのかの判断がつかなくなることが少なくありません。(118字)

　このように文字を削ると、伝わる情報がその分減るのではありません。逆に、言いたいことがより鮮明に浮かび上がります。大事なメッセージが、ムダな言葉の中に埋もれてしまうことがないからです。その上、歯切れのいい、引き締まった文章になれば、読み手の好感度も上がります。もちろん読み手が割く時間を節減することもできます。

言葉をあれこれ足してたくさん書けば、よりニュアンスが伝わると期待している人もいますが、それはしばしば逆なのです。一通り書き終えたら、「削れる言葉はないか、もっと短く言えないか」とチェックしながら読み直す習慣を付けてください。

　次は、網かけ部分を削ってみた例です。

原文▶　そのようにして考えてみると　➡
改善▶　そう考えると

▶　会社がすることのできることは２つある。　➡
▶　会社ができることは２つある。

▶　報道ひとつで、世論が左右されることの危険性がある。　➡
▶　報道ひとつで、世論が左右される危険がある。

▶　このような経験をしたことのある人は多くいるだろう。　➡
▶　このような経験をした人は多いだろう。

▶　楽しい思い出は当たり前に印象に残るものだが、辛い思い出はそれ以上に強く印象に残るものだ。
　　　　　　　　　　⬇
▶　辛い思い出は、楽しい思い出以上に強く印象に残る。

　社会人にしろ学生にしろ、書いたものを読んでもらうのは、ほとんどの場合多忙な人だと思います。ムダな言葉を徹底的に削れば、あなたの印象はぐっと良くなります。

ヒント51 [同じ言葉が続いて出てきたら、1つにする]

ムダな言葉を削るときに真っ先に考えるのは、同じ言葉を重複して書かないことです。

原文▶ 地球環境に優しい住まいの条件として、2つ条件があげられる。

⬇

改善▶ 地球環境に優しい住まいの条件は、2つある。

このように同じ言葉が続けて出てきたら、多くの場合1つにできます。そうすれば簡潔になります。

▶ 彼は中学校からの友達で、14年間という長い付き合いである。出会いは中学校2年生のときであった。私が通っていた中学校に彼が転校して来て、同じクラスになった。

⬇

▶ 彼とは、14年間という長い付き合いである。中学校2年生のときに彼が転校して来て、同じクラスになった。

次の文章には、「司書」が3回、「本に関わる仕事」が2回、「本学」が2回、「資格」が2回出てきます。どれも1回だけにすれば、見違えるようにスッキリします。

▶ 私は司書に憧れていて、毎日、本に関わる仕事がしたいと思っていた。本に関わる仕事ができたら、私はどんなにつらくても頑張れる。本学では司書の資格を取りたいと思っている。資格を取ることは簡単ではないが、自分の将来のためにも、本学で司書の勉強をしていきたい。（125字）

⬇

▶ 私は毎日本に関わる仕事がしたいと思っているので、司書の資格を取りたい。それは簡単ではないが、自分の将来のためにも本学でぜひ頑張ってみたい。（69字）

次の例は、4行余りの文章の中に「こと」が8つもありました。1つの言葉を一旦使うと、何度も繰り返してしまう傾向は、多くの人に見られます。改善案では、「こと」を2つにしてみました。

▶ 仲間と協力して目標を達成することは、1人でやり遂げたときとは違う大きな喜びがあることを知ることができました。一緒に頑張ったことで、より一層絆を深めることができました。私はこのことを通して、協力すること、仲間の大切さを知ることができました。

⬇

▶ 仲間と協力して目標を達成したときには、1人でやり遂げたときとは違う大きな喜びがありました。一緒に頑張ったので、より一層絆を深めることができました。私はこの経験を通して、仲間と協力することの大切さを知りました。

「ヒント40」で指摘したように、「それ」というような指示代名

詞は気をつけて使わないと何を指すのかが分かりにくくなってしまいますが、直前の言葉を指すように使えば、誤解が生じません。次のように、指示代名詞も上手に使いましょう。

▶ 私は、言語に興味を持っていますが、そもそも私が言語に興味を持ったのは高校の先生に英語の面白さを教えられたことがきっかけでした。

⬇

▶ 私は、言語に興味を持っていますが、そもそもそれは高校の先生に英語の面白さを教えられたことがきっかけでした。

▶ 自分の会社生活にとって何が大切な思い出になるのかを考えた。そしてそれは、今の工場生活が自分にとって大切になるかもしれないと考えた。

⬇

▶ 自分の会社生活にとって何が大切な思い出になるのかを考えた。そしてそれは、今の工場生活かもしれないと考えた。

　最後の例は、元々あった指示代名詞「それは」だけで足りたケースです。

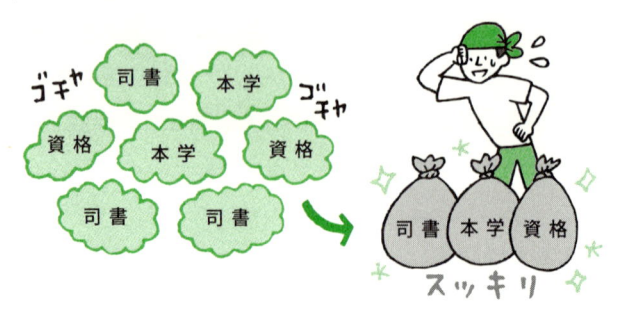

ヒント52 [同じ意味の言葉を重複して書かない]

> 言葉を変えて同じ意味のことを重複して書いているケースは、意外に多いものです。そのような重複も省いて、「1語でも短く、1字でも短く」と心がけましょう。

ある温泉に、
「お風呂に入る際には、段差にご注意の上ご入浴ください」
と書かれていました。この程度の文章は日頃よく見かけるので、気にならないかもしれません。しかし、
「ご入浴の際には、段差にご注意の上ご入浴ください」
とあったら、重複が気になる人が多いでしょう。最初の文章は、これと同じことを言っているのです。
ここは重複を避けてスッキリと、
「ご入浴の際には、段差にご注意ください」
としたいものです。
もし、もう少し言葉を費やすことが許されるのなら、
「ご入浴の際には、浴槽内の段差にご注意ください」
とすれば、より分かりやすく親切になります。

原文▶	叱られては何回も辞めようと思うことが多々あった。
改善▶	叱られては、何回も辞めようと思った。

「何回も」と「多々」が重複しています。

▶ 今ではよく「2人の性格を足して2で割れば良い」と言われることもしばしばある。
⬇
▶ 今ではよく「2人の性格を足して2で割れば良い」と言われる。

▶ 初体面の人に、よく気難しい人だと思ったと何度も言われたことがある。
⬇
▶ 初体面の人に、「気難しい人だと思った」と 何度も言われたことがある。

▶ 振り込め詐欺のターゲットとされるのは、主に年配の人が多い。
⬇
▶ 振り込め詐欺のターゲットとされるのは、主に年配の人だ。
または
振り込め詐欺のターゲットとされるのは、年配の人が多い。

▶ よく他のメンバーと対立することが少なくなかった。
⬇
▶ 他のメンバーと対立することが少なくなかった。
または
よく他のメンバーと対立した。

「よく」「しばしば」「何度も」「主に」「多い」「少なくない」も、言葉は違いますが意味はほぼ同じです。ですから、2つを重ねるのは余計です。

> **原文▶** 夫婦で共同の空間にいられるスペースは必ずほしいと思っている。
>
> ⬇
>
> **改善▶** 夫婦で共同の時間を過ごせるスペースは必ずほしいと思っている。

「空間」と「スペース」は同じ意味ですから、原文は、「夫婦で共同のスペースにいられるスペースはほしい」と書いているのと同じです。ここは、「空間」を「時間」に変えれば、意味のあるメッセージになります。

▶ なかなか仕事を楽しむという段階に達するまでにはいけないことが多い。

⬇

▶ なかなか仕事を楽しむ段階にまでは達することができない。

「達する」と「いく」が重複しています。「なかなか〜ない」と「多い」も重複しています。「という」は、省くことができます。

▶ いかなる国のことも、公平に報道すべきことが求められる。

⬇

▶ いかなる国のことも、公平に報道すべきだ。

「すべき」と「求められる」は、同じ意味です。

▶ 「もうギブアップ」と顔に書かれたような表情の人がいた。
⬇
▶ 「もうギブアップ」と顔に書かれたような人がいた。

▶ 東京は日本の中心なので、情報がたくさん集まる。そのため、さまざまな情報に接することができるし、自分がほしい情報を容易に見つけられる。
⬇
▶ 東京は日本の中心なので、情報がたくさん集まる。だから自分がほしいさまざまな情報を容易に見つけられる。

　「情報に接することができる」と「情報を見つけられる」が意味するところは、かなり重なり合っています。最近「アクセス」という英語が日本語の中でもよく使われるようになりましたが、「接する」も「見つけられる」もアクセスです。つまり、同じような概念なのです。

▶ 私は高校1年生から吹奏楽部に所属し、活動してきた。
⬇
▶ 私は高校1年生から吹奏楽部で活動してきた。

　「活動」しているのなら「所属」しているのは当然ですから、言わずもがなです。これは重複というよりも、包含と言ったほうが正確でしょう。

ヒント53 似たような言葉をたくさん並べない

似たような言葉をいくつも並べて、どれかに該当するだろうと網を張るのは勧められません。印象が散漫になってしまいます。

原文▶ 読み手の好感、理解、及び、共感を得られる文章を書きたい。

⬇

改善▶ 読み手の理解と共感を得られる文章を書きたい。

「好感」と「共感」は同じではありませんが、少なからぬ部分が重なり合っています。このようなときは、思いきって1つを省きましょう。

▶ 友達と話すときや話し合いをするときは、まず周りの話や意見を聞いてから、その意見を踏まえて自分の意見を言うように努めている。

⬇

▶ 友達と話し合うときは、まず周りの話をよく聞いてから、その意見を踏まえて自分の意見を言うように努めている。

大同小異の言葉は潔く一方を捨てて、1つに絞りましょう。そうすると簡潔・明瞭になり、話の焦点も絞られます。

ヒント54 簡潔な表現を選ぶ

同じことが言えるのなら、なるべく短い表現を選びましょう。

原文 ▶ 米国には、さまざまな国から留学を目的にやって来る学生が多い。

⬇

改善 ▶ 米国には、さまざまな国からの留学生が多い。

▶ その問題から考えていかなくてはいけないにちがいない。

⬇

▶ その問題から考えていかねばならない。

▶ 今の暮らしは、交通手段にも不自由することなく生活できている。

⬇

▶ 今の暮らしは、交通手段にも不自由はない。

▶ 東京は便利ということもあるので、地方からたくさんの人が東京に来て、仕事や勉強をしたりしています。

⬇

▶ 東京は便利なので、地方からたくさんの人が来て、仕事や勉強をしています。

ヒント55 意味のない言葉は書かない

どこかに飾りたい気持ちや逃げたい気持ちが潜んでいると、無意味な言葉が入り込みがちです。それを取り去り、シンプルに表現しましょう。

原文▶ 東京は基本的に何でもそろっているから便利である。特に私が住んでいる吉祥寺はお店が多いので、基本的に吉祥寺の外に出なくても問題なく暮らせる。

⬇

改善▶ 東京は何でもそろっているから便利である。特に私が住んでいる吉祥寺はお店が多いので、町の外に出なくても問題なく暮らせる。

「基本的に」はよく使われる言葉ですが、多くの場合、意味不明です。もし突っ込まれたら「例外はもちろんあります」と言い逃れをするために書かれているかのようです。この例の場合は、2つとも取り去ってしまうと、スッキリします。

▶ 自分の書いた報告書が読み手に分かるような文面であるか、自分が伝えたい部分が伝えられているか不安だ。

⬇

▶ 自分の書いた報告書が読み手に分かるか、自分が伝えたいことが伝えられているか不安だ。

第5章 簡潔に書く

ここでは、「文面」「部分」に格別の意味がありません。

▷私はいつも言葉遣いに対して気を配っている。
▷当初はこの仕事に対しての意義も分からずにやっていた。
▷曖昧なことに対しては放っておかず、正確な情報を頭に入れておきたい。

以上3つの「(に) 対して」も、取り去るべきです。

▶ 短期留学をするために、アルバイトを4カ月間お休みさせていただくかたちをとらせてもらった。

⬇

▶ 短期留学をするために、アルバイトを4カ月間お休みさせていただいた。

この「かたち」も、余計です。
そう言えば、あるパッケージツアーのガイドさんは、何にでも「形になります」という言葉をつける癖がありました。「3時にバスにお戻りいただく形になります」「今からこちらで夕食をとっていただく形になります」という具合です。
言うまでもなく、「3時にバスにお戻りください」「今からこちらで夕食をとっていただきます」というのが自然な日本語です。

ヒント56 [「これから説明します」「これから述べます」は不要]

　報告書や企画書の冒頭に、「この問題の対策案を考えましたので、下記に報告させていただきます」「以下にこの提案をする理由を述べます」などと書くのも余計です。読み手は当然それを予想して待っていますから、いきなり本題に入りましょう。

> 私にとっての友達の意味は、学生だったときと今では異なる。そのため、ここではその2つに分けて説明しようと思う。

　この網かけ部分は、不要です。最初の1文が、「これから2つの時代別に説明します」という意味も含んでいるからです。ですからすぐに、「学生のとき、私にとって友達とは……」という話を始めましょう。

> 私は、最近テレビを見ていて疑問を持つことがある。そのことをこれから述べていこうと思う。

　この網かけをした部分も不要です。そう書かなくても、読者はもうその話を待っています。

ヒント57 「なぜなら」「理由としては」なども省く

これも、言われなくても読み手には当然分かる表現の例です。

原文▶	私の理想の住まいは、中庭のある開放感のある家だ。なぜなら、開放的な空間は人の心も穏やかにするからである。
	⬇
改善▶	私の理想の住まいは、中庭のある開放感のある家だ。開放的な空間は人の心も穏やかにするからである。

次のいくつかの文章も、網かけをした部分を省いて読んでみてください。まったく違和感なしに読めるでしょう。

私はヨセミテを訪れている間、毎日心が躍っていた。理由としては、風景がとても神秘的で美しかったからだ。

私はいつも、読み手にとって分かりやすい、簡潔な文章を書きたいと思っている。なぜかというと、業務上の文章は、誰が読んでも誤解の余地がないものでなければならないからだ。

私は、簡潔で読みやすい文章を心がけている。この点をあげた理由は、限られた時間内に読み手に内容を理解していただく必要があるからだ。

ヒント58 「という」を削る

「という」という言葉は、しばしば省くことができますし、省いたほうが良くなります。

原文▶ 人と約束した時間を守るということを大切にしている。
　　　　　↓
改善▶ 人と約束した時間を守ることを大切にしている。

次のいくつかの文章も、網かけした部分を省きましょう。

▷自らの命を断ったり、他人を殺めたりするという人たちが後をたたない。
▷何事にも一生懸命取り組むということができなくなった。
▷都会というのはいつの時代も流行の最先端にある。
▷テレビでは味わえないスリルと興奮というものが映画館にはある。
▷私が書いた文章は、たいていの場合、「ここはどういう意味か。何が言いたいのか」ということを聞かれてしまう。

ただし、「人には喜んだり、怒ったり、悲しんだり、楽しんだりという感情がある」のように、省けない「という」もあります。

第5章 簡潔に書く

ヒント59 余分なつなぎ語を削る

「ヒント4」で、「よって」「そのため」「そこで」などのつなぎの言葉が不要なことが多いと書きましたが、「そして」「また」「それに」「さらに」なども、省ける場合が少なくありません。

原文▶ うつ状態の時期を、ようやく乗り越えることができた。そして、私を救い出してくれたのは、周りの友人たちだった。

⬇

改善▶ うつ状態の時期を、ようやく乗り越えることができた。私を救い出してくれたのは、周りの友人たちだった。

上の「そして」は不要でしたが、次の「また」も不要です。

振り込め詐欺など自分には無縁だと思っていたが、年配の人だけではなく、若者もターゲットにされていることを知った。また犯罪はすぐそこに潜んでいるということを、思い知らされた。

話の内容が自然につながっていれば、いちいちつなぎ語を入れなくても、読者の頭の中でちゃんとつながっていきます。そのようなときに、文と文をいちいち接着剤で付けるような書き方をされると、読んでいて煩わしくなります。

特に改行して新しい段落に入ると、それだけで新しい展開が予想されるので、つなぎ語が不要になることがよくあります。

ヒント60 余計な結びも書かない

　余計な前置きと同様、余計な締めくくりも読者の気持ちを遠ざけてしまいます。何か具体的な内容のあるしっかりしたメッセージを書き終えたところでスパッと終わると、強い印象が残ります。最後は常に美しい言葉で締めくくるというワンパターンからは脱却すべきです。

> １人でも多くの人が自然と共生する意識を持ち、他人を思いやる心を大切にし、自然や多くの人とつながって生きているのだということを意識するようになれば、より良い未来になると思います。

　もっともではありますが、どこか借りてきたような言葉で、書き手の個性が感じられません。
　「これからも、人としてより輝けるよう、いろいろな経験を通して成長していきたいと思います」
　というような優等生的な結びも、しばしば空疎に響きます。
　ある人が「私の特徴」というテーマで書いた文章は、長所、短所、趣味の３つの段落に分けた、とても分かりやすいものでした。ところがその最後に、「これが長所、短所、そして趣味を通しての私の特徴である」という結びが付いていました。そんな説明をしてもらわなくても、読者はすでに十分にそのことを承知しています。
　人は、分かりきっていることを改めて説明されるのを、快く思いません。

第5章のまとめ

- いきなり核心に入る。

- 削れる言葉は、徹底的に削る。

- 同じ言葉、同じ意味の言葉を重複して書かない。

- 簡潔な表現を選ぶ。

- 「基本的に」などの、意味のない言葉は書かない。

- 「これから説明します」「理由としては」なども省く。

- 「という」を削る。

- 余分なつなぎ語を削る。

- 余計な結びも書かない。

　「1語でも短く、1字でも短く」を常に心がけることによって、あなたは計り知れないほど大きなものを得ることができます。言いたいことがより鮮明に伝わり、説得力が増し、読み手の好感度が向上するからです。

コラム 5

「書くのが遅い」という反省について

　多くの人が、「私は文章を書くのがとても遅い」と言います。自分だけが例外的に遅いのではないかと思い、反省したり、自信をなくしたりしています。

　しかし、若いうちは、時間をかけてあれこれ試行錯誤しているその過程に意味があると私は思います。その間に、迷路に迷い込んでは引き返すことを繰り返していると、その回数がだんだん減ってくるはずです。

　仕事のスピードは、問題の本質、勘所をいかにつかむかということと大いに関係しています。ですから、器用に機敏に立ち回ろうとせずに、いつも問題を正面から受け止めてじっくり取り組むように努めていると、あるとき思いがけないほど仕事のスピードが上がっていることに気づくと思います。

　逆に、若いときから要領よく早く仕事を片づけようとし過ぎると、いつまでたっても拙速から抜け出せないことになりかねません。

　「コラム1」に書いた通り、文章力は、「着想力」「連想力」「優先順位の判断力」「構造的に把握する力」「創造性、独自性」「人間理解力」「言語表現力」などの要素から成り立っています。最初はこれらの要素を意識して、「時間をかけてもいいから、納得のいくものにしよう」と心がけてください。そうしているうちに、いつの間にか勘所がつか

めるようになって、文章を書くスピードがどんどん上がってくる時期が訪れます。

　文章講座で私が課題を与えて1週間以内に提出してもらう方法をとると、「その場で課題を知って、その場で1時間以内に書く練習をさせてください」という人が必ずいます。

　私は、経験のためにそのような模擬テストのようなこともときどきしますが、毎回それをやったからと言って、早く書けるようにはなりません。文章を書く基礎的な力がない人が無理矢理1時間以内に書こうとすると、言いたいことがまとまらない内にやみくもに思いついたことを書き連ね、支離滅裂な文章になってしまいます。それを何回繰り返しても、文章力はつきませんし、速く書けるようにもなりません。

第 **6** 章

共感を呼ぶように書く

ヒント61 [目に浮かぶように書く]

> 一般に文章は、「理解」と「共感」を求めて書くものですが、抽象化された概念だけで共感を呼ぶことは困難です。人は、頭の中に具体的なイメージ（映像）を思い浮かべることができたときに、そこに感情移入して共感を覚えるのだと思います。

　ある学生が、「私は高校時代に、とてもいい先生に出会いました」という文章を書きましたが、そこには具体的なエピソードが何も書かれておらず、「大変生徒思いで、教育熱心で、情熱的で……」という抽象的な言葉ばかりが並んでいました。

　おまけに、最後まで先生の性別も年齢も書かれていませんでした。これでは、読み手の頭の中に何もイメージが浮かんできません。

　一見あまり意味のなさそうな、「学校を出たばかりの若い女の先生でした」とか、「50代後半に差しかかった男の先生でした」というような情報も、実は意味があるのです。それに加えて、象徴的なエピソードをリアルに書ければ、初めて「なるほど、いい先生だね」と共感してもらえます。

　書いている本人の頭の中には当然その先生の映像がありますが、それが読み手にはまったく見えていないことを忘れてはなりません。文章を指導するときに、よく「具体的に書こう」と言いますが、そこには「映像を、書き手と読み手が共有しよう」という意味が含まれているのだと思います。

ヒント62 [具体的なエピソードから入る]

> 前置きなしに、いきなり具体的なエピソードから書き始めるというのは、とても応用範囲の広いテクニックです。

> 我が家の水道代が、最近高い。この事実が、家族をピリピリさせている。

「お金」というテーマの文章を、いきなりこのように書き始めた人がいました。とても分かりやすく、いい書き出しです。読み手はすぐに書き手と同じ土俵に乗ることができます。

「私はとても粘り強く、一度やろうと決めたことは最後まであきらめずにやり通します。意志の強さが私の最大の長所です」
このように抽象的に書き始めることは、極端に言えば誰にでもできますが、
「私は、小学校からずっと競泳の選手を続けており、現在も背泳ぎの選手として大会に出ています」
「私は、北海道十勝平野の中で牛百頭を育てる酪農の家に生まれました。厳しい自然環境の中で毎日懸命に働く両親を見、私も手伝ってきましたので、仕事に粘り強く取り組む姿勢を身に付けることができたと思います」
のように書き始めることができるのは、その人だけです。具体性、独自性がありますので、冒頭から関心を引きつけることができます。

第6章 共感を呼ぶように書く

ヒント63 ［感動を押しつけず、読み手自身に感じてもらう］

　テレビで事件現場や観光地などからの実況中継を観ていると、その場にいるアナウンサーがひとり興奮して、１オクターブくらい高い声で叫んでいることがあります。見ているほうは、お茶の間で普段通りの気持ちでいます。テレビの向こうであまり舞い上がられると、しらけてしまいます。

　文章で自分の感動を伝えようとするときにも、注意しないと同じようなことになりかねません。

　一番望ましいのは、「感動」とか「感激」に類する言葉はいっさい使わずに、その場の状況を淡々と目に浮かぶように描き、それを読んだ人が自発的に「素晴らしい」「感動的だ」と思ってくれることです。

　そのように書ければ、理解と共感を得るという目的を完全に果たすことができます。しかも、自分から「素晴らしい」「感動的だ」と思った人は、周囲の人にも積極的にそう伝えてくれます。

　次の文章で、書き手は米国ボストンでの研修がとても意義のあるものであったことを伝えようとしています。

　このような場合に、現地で行なったことを具体的に列挙することは必要ですが、ここにはその意義を礼賛する言葉が、過剰に並び過ぎていました。網かけをした６カ所です。

原文▶ 　私は今年の２月に、５カ月間のボストン研修を終えて日本に帰って来ました。ボストン研修は、私にとってとても大きな意義のあるものでした。英語の学習だけでなく、ボランティア活動に積極的に参加できたことも大きな収穫です。また、たくさんの素晴らしい先生方や、現地の人々に出会えたことにとても感謝しています。初めての共同生活を通して、人と人とのつながりの大切さも実感しました。
　また、ボストン研修が私自身の考え方を大きく変えたことも、とても重要だと感じています。何事もポジティブに考えること、まずは行動に移すことを心がけるようになりました。このボストン研修でとても得がたい経験をすることができて嬉しく思っています。

　次の改善案では、抽象的な総括を最後の１カ所のみにしてみました。

改善▶ 　私は今年の２月に、５カ月間のボストン研修を終えて日本に帰って来ました。ボストンでは、英語の学習だけでなく、ボランティア活動にも積極的に参加しました。また、たくさんの先生方や、現地の人々に出会いました。初めての共同生活を通して、人と人とのつながりの大切さも実感しました。
　ボストン研修を終えた今は、何事もポジティブに考えること、まずは行動に移すことを心がけるようになりました。ボストン研修でさまざまな得がたい経験をし、私自身の考え方が大きく変わったことをとても嬉しく思っています。

第６章　共感を呼ぶように書く

たとえば、「積極的に参加できたことも大きな収穫です」は、「積極的に参加しました」だけにして、「大きな収穫です」は省きました。
　本人は大いに盛り上がっていますが、読み手は少し距離をおいて見ています。このようなときは、なるべく「事実に語らせる」のが得策です。読者は、いちいちその意義を解説されることを好みません。

　また、原文の中に4つあった「とても」を、1つに減らしました。強調するための修飾語も、使い過ぎないようにします。

ヒント64 強調する言葉は控えめに使う

　前項では4つあった「とても」を1つだけにしましたが、「本当に」も、使い過ぎないほうがいい言葉です。

> 大学時代の友人は、いつも私を本当に理解してくれ、ときには喧嘩をし、ときには笑い合いながら本当に多くの時間を過ごしました。その中でも特にテニス部の友人は、私にとって本当に大切な存在でした。

　この場合、少なくとも後の2つの「本当に」は不要でしょう。

▶ 祖母に本当に心から尊敬の念を抱いている。　➡
▶ 祖母に心から尊敬の念を抱いている。

　この場合、「本当に」を取り去っても、決して弱くはなりません。むしろ強くなると言ってもいいと思います。

　ある社員が、会社の休憩室にマッサージチェアを置いてほしいと考えました。

> パソコン業務で目が疲れたり、肩が凝ったりしても、マッサージルームで短時間の休憩を取れば、改善されることは間違いないと思います。疲れを取るために、最も効率の良い方法であると思います。

第6章　共感を呼ぶように書く

このような場合、「間違いない」「最も効率の良い」という強い言葉を使えば相手はますますそう思うかというと、実は逆です。最大級の修飾語や強調語を使うと、読み手の気持ちがついて来られなくて、かえって疑念を呼び覚ましてしまうこともあります。

▶ 眠くて仕方がないときに５分でも眠ると、意外なくらいシャキッとして効率が上がったという経験は、誰しもあると思います。

⬇

▶ 眠くて仕方がないときに５分でも眠ると、意外なくらいシャキッとすることがあります。

　このように少しあっさりと書いたほうが、共感度が高まります。読み手が、「私などは、しょっちゅうそういう経験をしている」と補って読んでくれたら、なおしめたものです。

　若い女性は、最近「輝く」という言葉を文章の中でよく使います。「あの人はとても輝いています」「将来、私も輝ける存在になっていたいと思います」という具合にです。
　しかし、このようなピカピカの表現を使うよりは、たとえば「あの人はとてもいきいきとしています」「将来私も、自分らしさを発揮できる道を見つけたいと思います」などのように少し抑えた表現を用いたほうが相手の共感を得られます。

ヒント65 [持って回った表現、凝った表現は避ける]

ちょっと凝った表現をしたがる人がいますが、素直で自然な表現が多くの人に好感を与えます。自分の個性やユニークさは、言い回しによってではなしに、内容で表わしましょう。

原文▶ その経験のおかげで、今成長できた自分がいるのだと思う。
⬇
改善▶ その経験のおかげで、自分も成長することができたと思う。

「自分がいる」という言い回しも流行していますが、多用すると持って回った感じを与えます。「店員に少し訛りがあったりすると、ほっとしている自分がいる」などの表現は必ずしも悪くありませんが、「店員に少し訛りがあったりすると、ほっとする」でも言いたいことは十分に伝わりますし、素直な感じを与えます。

▶ 本屋さんの良さを再発見してもらうことを軸として、キャンペーンをする。
⬇
▶ 本屋さんの良さを再発見してもらうことを目標として（または願って）、キャンペーンをする。

この「軸として」というような、曖昧で含みのある、ちょっと洒落た表現はあまり勧められません。

第6章 共感を呼ぶように書く

ヒント66 自分のことも事実に淡々と語らせる

　日頃は謙虚な人が、自己PRの文章を書かせると、途端に理想的な人物に変身してしまうことがあります。しかし、普段の人間関係と同じく、やや謙虚な文章のほうが好感を持たれます。

　次の文章は、大分、間引きして半分以下の長さにしたものですが、それでもかなり強い自慢臭がします。たとえば友人と会話するときには、さすがにここまでの自己礼賛はしないでしょう。それでは共感してもらえないどころか、呆れられてしまうからです。文章でもそれは同じです。

> 　私は1つのことに真剣に取り組むことができる真面目な性格です。一心に作業や制作に打ち込める集中力も持っています。私の真面目さは、勉強はもちろん作品制作においても、小さい頃から学校の先生や友人に認められてきました。その上、私には観察力があり、観察することを通じて何かを学ぶことが得意です。
> 　加えて、私は物事を客観的に見ることができ、主観に偏らずに考えたり判断したりできます。それに、先を見通して慎重に考えるタイプなので、現実的で冷静な答えを出すことができます。
> 　また、私は高い想像力を持っています。自分が経験したことのないことでも自分に置き換えて想像をすることができるので、相手の気持ちになって考え、その気持ちを理解することができます。感受性もとても豊かです。

こんな理想的な人物などいるはずがないので、読者の心はどんどん離れていきます。本当に「相手の気持ちになって考え、その気持ちを理解することができる」人なら、このようには書かないと思います。

　自分のことは、「できます」「できます」と言わずに、たとえば次のようなトーンで書くのがいいでしょう。

▶ 私は物事を客観的に見ることができ、主観に偏らずに考えたり判断したりできます。

⬇

▶ 私は物事を客観的に見て、なるべく主観に偏らずに考えたり判断しようと常に努めています。

　これが真実だと思います。ほとんどの人は、理想と現実のギャップに悩みながら、少しでも理想に近づこうと努力を重ねています。

　「（就職のための）エントリーシートには、パンチの効いたことを書け」などと説くマニュアル本に踊らされて、やたらに自分を飾って大げさなことを書くのは逆効果です。
　企業で採用をやってきた経験から、私は学生に「素直が一番」と言っています。自己礼賛の言葉を極力省いて、自分が実際に行なってきた事実（エピソード）だけを淡々と書いて、その解釈は読み手に委ねるような書き方が一番好感を持たれます。ここでもまた、「事実に語らせる」のが得策なのです。

ヒント67 [読み手をあまり待たせない]

誰でも長い間待たされるのは嫌いです。

原文▶ わが国は、イスラエル・パレスチナ間の暴力の悪循環が引き続き激化しており、2月27日のパレスチナ人による自爆テロ、それに対するイスラエル軍による難民キャンプの空爆や、同28日のイスラエル・パレスチナ間での銃撃戦等によって、双方に多数の死傷者が発生し、緊張が高まっていることを深く憂慮している。

（2002年3月1日の外務報道官談話）

　この文章の冒頭で「わが国は」と語りかけられた読み手は、その瞬間から「わが国は、どうしたのか？」という疑問を持って読み続けることになります。ところが一番最後に「憂慮している」というその答えにたどり着く前に、延々とイスラエルやパレスチナの情勢の話を聞かされることになります。

　このような書き方は、読み手を無用に疲れさせるものです。次のように書けば、問題は解消します。

改善▶ イスラエル・パレスチナ間の暴力の悪循環が引き続き激化しており、2月27日のパレスチナ人による自爆テロ、それに対するイスラエル軍による難民キャンプの空爆や、同28日のイスラエル・パレスチナ間での銃撃戦等によって、

> 双方に多数の死傷者が発生し、緊張が高まっている。わが国は、このような事態を深く憂慮している。

▶ 私の趣味について書こう。私はいかんせん、勉強が何より苦手だ。しかし、そんな私でも初めて楽しいと思えた教科が高校生の頃できた。それはある1人の教師との出会いがもたらしてくれた。彼は日本史の先生だった。私は中学生の頃から社会科が大の苦手だった。しかし、高校に入って、その先生に出会ってからというもの、自分の国の歴史を学ぶことの楽しさを覚えたのだ。少し前置きが長くなってしまったが、現在の私の趣味は歴史小説を読むことである。

↓

▶ 現在の私の趣味は歴史小説を読むことである。私は勉強が大の苦手で、中学生の頃は特に社会科が苦手だった。しかし、高校に入って1人の日本史の先生に出会ってから、自分の国の歴史を学ぶ楽しさを覚えた。そして、歴史小説を読むようになった。

　この原文では、「趣味について書こう」と予告されてから、それが「歴史小説」であることを明かされるまで、読者はさんざん待たされてしまいます。

　読者の気持ちになって考えれば、こういう書き方にはならなかったでしょう。そもそも「前置きが長くなってしまったが」と断らねばならない文章は、必ず改善の余地があると言っていいと思います。

ヒント68 ［読み手に謎をかけたまま終わらない］

　自分の書いた文章を、何の予備知識も持たない人に読んでもらう場合、知らず知らずのうちにその読み手に謎をかけてしまい、最後までそれに気づかないことがあります。謎をかけられたままに終わった読み手には、当然、割り切れない気持ちが残ります。

　「私は、人の命に関わる仕事をしている両親のもとに生まれ」という書き出しの文章がありました。しかし、最後まで両親の仕事は特定されないままでした。これでは、読む人は落ち着きません。このように遠回しに書かずに、たとえば「私の父は医師で、母は看護師です」のように書き始めてくれれば、どれだけスッキリするでしょう。

彼と私は、水泳部で専門種目が同じだったため、長年ライバルとして競い合ってきた。

　網かけ部分を読んだ人の多くは、「種目は何だろう」という疑問を自然に持つと思います。しかし、ここでも最後までそれが明かされませんでした。

　書いた人に聞いてみたら、答えはバタフライでした。「なぜそれを書かなかったの」と聞いてみたら、「読む人は関心がないと思いました」と言っていました。しかし、謎をかけておきながら、答えを明かさずに終わるのは、不親切です。

種目が分からないと、2人が競い合う姿を思い浮かべられないという問題もあります。「ヒント61」で、その場面が目に浮かぶように書けば、読み手はそこに感情移入して共感を覚えると書きました。

> 私が住んでいる場所は都会とは言えないが、必要なものはそろった便利な町で、私はこの気どらない町がとても好きである。

　これを読んだ人は、「どこだろうか」と思います。ところがこの場合も、最後まで場所が分からないままでした。読み手の心の隅には、小さいながらも欲求不満が残ります。具体的な地名を言いたくないのなら、せめて「北関東の町は」などのように、何かイメージが湧く言葉を添えてほしいところです。

> 私が出会った女性の中でオーラを感じた女性は、美智子様です。私は美智子様とお話した瞬間、美しく温かいオーラに驚いたことを今でも覚えています。

　これを書いたのは若い学生ですので、「いったいどんな機会に皇后陛下と会話したのだろう」と誰もが疑問に思います。読み手が必ず疑問に思うことには、答えてあげましょう。当然のことのように書かれると、しらけてしまいます。

ヒント69 読み手の期待を裏切らない

> 文章を書く作業とは、最初に相手（読み手）が今立っている所にともに立ち、それから自分（書き手）が目指す所まで、道案内をしながら一緒に行く旅のようなものだと私は考えています。
>
> そして、句点がくるたびに「なるほど、そうか。分かった。それで？」と思ってもらいながら、ともに歩むのが良い文章です。

そのようにしてともに歩む話の流れから、読み手が当然に期待する次の方向（展開）というものがあります。もしそれとは違う方向に急に読み手を導こうとするなら、それなりの配慮をして言葉を補い、意外な感じや、はぐらかされた感じを与えないようにします。

あるいは読み手の期待に反してにわかに方向転換するのではなく、むしろ読み手が期待している方向にしばらく話を展開したほうがいい場合もあります。読み手が自然に期待する方向は、文章の流れとしても自然だからです。

> ある友人は、高校時代は常に学年でトップの成績を取っていた優等生で、家では昔から家事全般をこなしていた。

この前半を読んだ読み手は、優等生に関連した話、たとえば「今は一流大学に入学し」のような展開を後半に予想します。

実際は、やや意外な話にすぐに切り替えていますが、高校時代に具体的にどのような目覚ましい成績を上げていたのか、その勉強ぶ

りや教室での態度はどうだったのか、大学では何を学んだのかなどを書いた後に、「この友人は、実は勉強ばかりしていた訳ではなく」と話を転ずれば、読み手はスムーズについて行くことができます。

次は、ある小論文の冒頭にあった文章ですが、読み手のことをすっかり忘れてしまった例です。

> 私が学生時代に夢中になったこと、それは、大学3年生の夏休みに起こりました。そのとき初めて、「夢中」という言葉の本当の意味を知りました。それは過去にはないほどの衝撃でした。

これを読んだ人は、その衝撃的な出来事とは何だろうと思って、その説明を待ちます。ところが、その後の新しい段落の冒頭には、
「少し過去を振り返ってみます。幼稚園、小学生時代は、まだまだ遊びたい時期でした」
とありました。次の段落には、「中学生時代は」で始まる長い話があり、その次の段落は「高校時代は」で始まっていました。読み手はすっかりはぐらかされてしまいます。

最後の段落でようやく大学時代の話になりますが、「夢中」の意味も「衝撃」の意味も、あまり明確にはなりませんでした。
「読み手をあまり待たせない」「読み手に謎をかけたま〜い」「読み手の期待を裏切らない」のどれにも当て〜でした。
読み手の立場に身を置いて感じたり、〜と、人は驚くほど手前勝手な文章を〜

ヒント70 読み手の心の中に壁をつくらせない

> 読み手の気持ちを逆なでしたり、警戒感を与えたりして、心の中に壁をつくらせてしまっては、理解と共感を求めるという目的からそれてしまいます。

「ヒント47」で、子供を長期入院させているお母さんが看護師長に出そうとした要望書の例を取り上げました。

その中の、「親がいないときに回診があった場合には、先生の診断結果を看護師から聞かせてほしい」というところには、

「このような仕事は、看護師にとって基本ではないか」

「看護師には、その義務がある」

というような詰問調の表現が含まれていました。

お母さんの切実な気持ちはよく分かりますが、大勢の子供を長期に入院させている子供センターの看護師は、きっと毎日さまざまな問題に直面して、てんてこ舞いでしょう。その人たちを責めているように受け取られると、逆効果になるのではないかと感じました。

また、次のような文章もありました。

～に関して、患者や家族が精神的に安定した～を検討いたしましたので、以下に詳細を～

恐らく多忙な看護師長は、「なるべく手短に話を聞きたい」と思っているでしょう。その人に対して、「これから詳細を報告します」と書くと、最初から「長い話を聞かされるのでは」という警戒心を持たれてしまう可能性があります。

○○すべきではないか

○○の義務がある

以下に詳細を報告します

第6章のまとめ

- 書き手と読み手が映像(イメージ)を共有できれば、読み手はそこに感情移入して、共感を覚えやすい。

- 具体的なエピソードから入る。

- 感動を押しつけず、読み手自身に感じてもらう。

- なるべく事実に語らせて、そこに解説を加え過ぎない。

- 強調する言葉は、控えめに使う。

- 持って回った表現、凝った表現は避ける。

- 自分のことを立派に書き過ぎない。事実に淡々と語らせる。

- 読み手をあまり待たせない。

- 読み手に謎をかけたまま終わらない。

- 読み手の期待を裏切らない。

- 心の中に、壁をつくらせない。

「読み解力」を、た文章力の7つの要素の中にあった、
レベルなどを理解する人間理
てください。

コラム6

想像力が決め手

　文章を書くときには、自分の考えをはっきりさせると同時に、「相手の立場に立って感じたり考えたりすることのできる想像力」を持つことがとても大切です。

　つまり、自分の言いたいことを精一杯表現したら、その後、一旦自分のことは全部忘れて、何も事情を知らない第三者になりきって、初めて読むつもりでその文章を読んでみます。そして、より分かりやすくするために、あるいはより共感してもらえるように、必要な修正を加えます。

　その過程では、「相手になりきってみる」「自分自身に戻る」という、行ったり来たりを繰り返します。

　「そんな難しいことは……」と思うかもしれませんが、ふと相手の側に身を置いてみる習慣が付くと、意外に簡単に気がつくこともたくさんあります。それに、文章を書くときだけでなく、仕事や社会生活をしていれば、人はたえずその行ったり来たりを繰り返しています。

　日本語の文章の名手であり、同時にイタリア語などにも深く通じていた須賀敦子は、以下のように書いています。

＜なにかひとりよがりの匂いの抜けきらない「やさしさ」や「思いやり」よりも、他人の立場に身を置いて相手を理解しようとする「想像力」のほうに、私はより魅力をおぼえる。（河出文庫／『須賀敦子全集』第2巻「想像するということ」より）＞

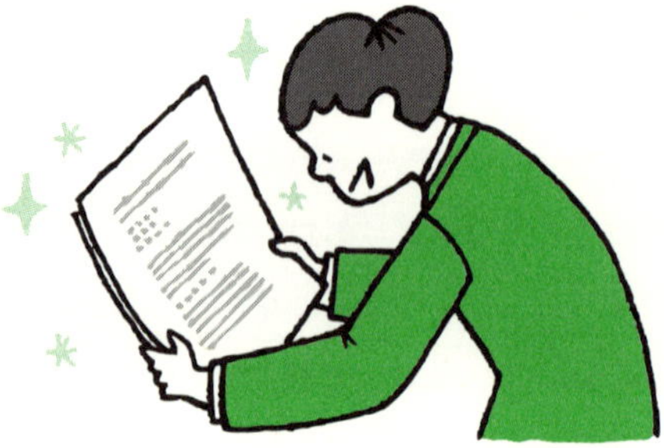

第7章

表記とレイアウトにも心を配る

ヒント 71　句点は、文末のみに打つ

> 句点（。）を文末のみに打つことは、知識としては常識だと思いますが、現実には、文がまだ終わっていないところに打ってしまっているケースがしばしばあります。

原文▶ 24時間お待ちしています。をキャッチコピーとしています。

⬇

改善▶ 24時間お待ちしています、をキャッチコピーとしています。

この例は、「引用したセリフがここで終わっている」という意識が、句点に出ているのでしょう。しかし、文の途中で句点を打つべきではありません。次の2つも、同じような例です。

▶ 周囲の人に本当に気を使っている人は、周りにそれを気がつかれない。と言われる。

⬇

▶ 周囲の人に本当に気を使っている人は、周りにそれを気がつかれないと言われる。

▶ 子供に尊敬される親になりたい。と思った。　➡
▶ 子供に尊敬される親になりたいと思った。

後者は心の中で思ったセリフですが、このような場合も含めて、次のように「　」でくくるのは良い方法です。

▷「24時間お待ちしています」をキャッチコピーとしています。
▷「周囲の人に本当に気を使っている人は、周りにそれを気がつかれない」と言われる。
▷「子供に尊敬される親になりたい」と思った。

　セリフではなしに、ある事実の記述の後にも句点が紛れ込んでいることがあります。

▶ 最近は、女性誌に付録が付くと販売部数が伸びる。という実績もある。

⬇

▶ 最近は、女性誌に付録が付くと販売部数が伸びるという実績もある。

ヒント72 「セリフや考えを「　」でくくる」

前項にもありましたが、誰かが言ったことや心の中で考えたことを「　」でくくると、とても読みやすくなります。また、いきいきとした、リアルな感じを与えます。

原文▶ 私はよく人に肌が白いですねと言われる。　➡
改善▶ 私はよく人に、「肌が白いですね」と言われる。

▶ 私は、自分は一生、独りで過ごすのではないのかと考えることがある。

⬇

▶ 私は、「自分は一生、独りで過ごすのではないのか」と考えることがある。

▶ 弟はこれだと決めたことには、何があっても突き進みます。

⬇

▶ 弟は「これだ」と決めたことには、何があっても突き進みます。

▶ 何で自分はこんなことをやっているのだろうと思った。

⬇

▶ 「何で自分はこんなことをやっているのだろう」と思った。

ヒント73 カッコと句読点を適切に使う

> カッコを閉じる直前の句点（。）は、省略します。

原文▶ 彼は多くの人から、「先が楽しみだ。」と言われている。

⬇

改善▶ 彼は多くの人から、「先が楽しみだ」と言われている。

これは、「 」『 』（ ）など、すべてのカッコについて言えることです。高校までは、「カッコを閉じる直前の句点は、省略することもできる」と教えているようですが、新聞、雑誌は省略していますし、今日では多くの作家もそうしています。カッコを閉じることによって、文が終わったことが示せるからでしょう。なくてもすむものは、取り去ってしまったほうがスッキリします。

これとは別に、セリフだけで1つの文が成り立つ場合には、次のように「 」の後に句点を打ちます。文の終わりには必ず句点を打つ決まりがあるからです。

原文▶ 「最後に頼りになるのは、おばあちゃん」私にとって祖母は、なくてはならない存在です。

⬇

改善▶ 「最後に頼りになるのは、おばあちゃん」。私にとって祖母は、なくてはならない存在です。

原文のままでは、「最後に頼りになるのは、おばあちゃん」がどこにもつながらず、宙に浮いています。次のいずれかにすれば、その問題が解消します。

▷「最後に頼りになるのは、おばあちゃん」だと思っています。
▷「最後に頼りになるのは、おばあちゃん」です。
▷「最後に頼りになるのは、おばあちゃん」。

　上の最後の案は、「だと思っています」「です」などを省いた形と考えられます。だからこのセリフだけで1つの文になっており、句点が必要なのです。以下も同様です。

▶ 「なんてもったいない」若者の自殺を特集したテレビ番組を観ていた祖母が、思わず口にした言葉です。

⬇

▶ 「なんてもったいない」。若者の自殺を特集したテレビ番組を観ていた祖母が、思わず口にした言葉です。

▶ 「誰とでもすぐに打ち解けられるところかな」友達に私の長所を聞いたら、そんな答えが返ってきました。

⬇

▶ 「誰とでもすぐに打ち解けられるところかな」。友達に私の長所を聞いたら、そんな答えが返ってきました。

　話は別ですが、次の例のようにカッコをいくつか並べるときは、間に読点（、）を打ちません。読点がなくても何ら誤解を与えるこ

とがないからでしょう。**無用なものは取り去るにしかず、です。**

▶ 「やればできる」、「継続は力なり」、「感謝の気持ちを忘れない」、この3つが常に心に留めている言葉だ。

⬇

▶ 「やればできる」「継続は力なり」「感謝の気持ちを忘れない」、この3つが常に心に留めている言葉だ。

なお、文章の中に『　』を多用する人がいますが、二重カッコはセリフの中のセリフと、書名だけに使うことが習慣になっています。

ヒント74 漢字本来の意味から離れた言葉は仮名で書く

漢字本来の意味から離れた言葉は、漢字でなく平仮名で書くことを勧めます。

原文▶ 家で母親とは良く話す。　➡
改善▶ 家で母親とはよく話す。

この「よく」は「たびたび」の意味で、「良い、悪い」という意味ではありませんから、漢字は使いません。「よく話し好きだと言われます」などもそうです。

▶ 食べて見たらとても美味しかった。　➡
▶ 食べてみたらとても美味しかった。

この「みる」は「試みる」の意味で、「見る」ではないので、漢字は使いません。

▶ まったく同じ人間と言うものはいない。　➡
▶ まったく同じ人間というものはいない。

これも、口に出して「言う」という意味ではありません。

▶ と言いたい所だが……　➡
▶ と言いたいところだが……

　これも、「場所」を示す訳ではないので、仮名を使います。この「ところ」は、形式名詞と呼ばれる言葉です。

▶ 今までの努力がムダになってしまった事になる。　➡
▶ 今までの努力がムダになってしまったことになる。

　この「こと」も形式名詞で、仮名表記が普通です。ただし、「事は重大だ」「事と次第によっては」のような定型的な表現には、漢字を用います。
　「確かめてみるものだ」「ばかなことをしたものだ」などの「もの」も形式名詞ですので、「物」とは書きません。
　新聞や雑誌は、「いろいろな」「さまざまな」なども仮名で表記しています。漢字の本来の意味とは離れた使い方がされているからでしょう。

横書きでも漢数字を使う言葉がある

ヒント 75

横書きのときは漢数字ではなく算用数字を用いるのが原則です。しかし、以下のような言葉は、横書きであっても漢数字を使います。

原文▶ そのことが私にとって 1 番重要です。 ➡
改善▶ そのことが私にとって一番重要です。

この「一番」は「何よりも」「最も」という意味の熟語です。「二番重要」「三番重要」という表現はないので、数えられる数字ではありません。ですから横書きでも算用数字は使いません。

「人一倍努力した」などの表現も、「人二倍」「人三倍」という言い方がないので、熟語だと分かります。「一人旅」も、漢字で書きます。

新聞社や出版社が表記基準を示す用語集を出版していますが、『毎日新聞用語集』を見ると、数字の表記方法が 11 ページにもわたって解説されています。細部にまで気を配るとそれほど複雑なのですが、「横書きであっても漢数字」というポイントのみを同書から拾ってみると、他に次のような例があります。私が適宜整理したもので、原文のままの分類ではありません。

数値を曖昧にした表現	十数人、数百件、五十数億円
固有名詞、それに準ずるもの	三十三間堂、第二次世界大戦、北方四島、五大陸
熟語、慣用句	一日千秋、二束三文、七転八倒
他の数字に置き換えられない場合	一時しのぎ、一日一日、四つ角、第六感
伝統的な日本文化に関わるもの	三回忌、六代目菊五郎、本因坊七番勝負

第7章 表記とレイアウトにも心を配る

［ホワイト・スペースを活用する］

ヒント 76

> 　文章を書く作業は、内容と言語表現を練り上げただけでは終わりません。それをいかに読みやすく、理解しやすい形でプレゼンテーションするかということが大事です。
> 　その際には、「視覚的な効果」を考えることが必要ですが、特に大事なのが次の３つの「ホワイト・スペース」を活用することです。

1 行間を適切にあける

　毎年受け取る年賀状の中には、過去１年の活動やその年の抱負などについて、びっしりと書かれたものが何枚もあります。とても読みにくくて、なかなか最後まで読み通すことができません。

　その読みにくさの主な原因は、行間を十分に取っていないことにあります。葉書という限られたスペースになるべく多くの情報を盛り込もうとした結果、書いた本人は満足しているのでしょうが、肝心のその情報が相手に伝わりません。

　我々が文章を読むときには、１字１字の意味を理解してから、それを組み合わせて全体の意味を理解している訳ではありません。いくつかの文字をまとめて、１つの固まりとしてパターン認識（絵のように全体の形を認識）しています。

　そのパターン認識を容易にするためには、同じ行の文字と文字の間はあまりあけず、行間は適度にあけることが必要です。その極めて当たり前のことが、しばしば無視されています。

　パソコンのワープロ・ソフトには、１ページあたりの行数の初期

設定値があります。それを増やすにしても、数行以内にとどめるべきです。それ以上増やすと、あるところから急にとても読みにくくなります。行間のスペースが狭くなって、パターン認識がしにくくなるからです。

2 周囲のスペースをゆったり取る

　紙面の周囲の余白がもったいないと考えて、それをかなり狭くして文書を作成する人がいますが、それも勧められません。

　綴じ代や、メモを記入するスペースというような機能的な配慮のみならず、文書を目にしたときの視覚的な心地良さも大切です。余白をあまり狭くすると、活字がページからこぼれ落ちそうな不安を与えます。

3 段落の後のスペース、1行スペースを活かす

　話に間が大切なごとく、文章も適度の間を取りながら、読み手を導いていくことが大切です。べったり文字で埋めてしまうと、分かりにくいだけでなく、読む前から息苦しさを感じさせてしまいます。

　段落の終わりで改行した後にできるスペースは、読み手がホッと一息つく意味のあるスペースです。

　小見出しの前や、意味の大きな切れ目がきたときに、1行スペースを入れるのも有効です。

　文章は「1語でも短く、1字でも短く」と強調してきましたが、ムダな言葉を徹底的に削る一方で、コミュニケーションの効果を上げるために意味のあるホワイト・スペースは、惜しみなく使ってください。

> ヒント77
［ノイズの少ない文書をつくる］

> 相手に伝えたいメッセージのみが浮き彫りになるように、ムダな言葉を省こうと書いてきましたが、それのみならず、省くことのできる記号や罫線も極力取り去りましょう。それらは、一種のノイズになりかねません。伝えたいメッセージが、その中に埋もれてしまっては困ります。

原文▶

「ビジネス文章講座」演習問題

「A市図書館活用キャンペーン」（正式名称：幼児から退職後までの市民を対象にしたA市ライフタイム図書館活用支援プログラム）への提言

日付　＊＊＊＊年＊月＊日

受講生番号　＊＊＊＊＊＊＊＊　　　　　　　　　　　　　　氏名　＊＊＊＊

　これは、社会人向けの「ビジネス文章講座」の演習問題で、ある受講生が書いた提言書の冒頭部分です。この文書には、主に「視覚的な効果」の面から、次のような問題点があると思いました。

1 タイトルを四角で囲んだのは、多分目立たせるためでしょう。しかし、冒頭に1行を割いて、大きな太い文字で中央に書き、前後

にホワイト・スペースまで設けたのですから、これ以上、目立つ書き方はありません。その上の枠は余計です。

2 そもそも１行目の「『ビジネス文章講座』演習問題」は、強調する必要のない言葉です。後日のために、どこかに小さく書いておけば足ります。

3 読み手が一番知りたいのは、「この提言の主題は何か？」です。それが、２行目以降の細かい文字の間に埋もれてしまっています。

4 このキャンペーンの正式名称はとても長いものですので、タイトルの中に書く必要はありません。

5 ４行にわたってアンダーラインを引いたのも強調するためでしょうが、結果として伝えたいメッセージの間に割り込んだノイズになってしまっています。

6 日付の前の「日付」、氏名の前の「氏名」は、不要です。

7 この数行をゴシックにしなくても、周囲に余白があるので十分に目立ちます。それに、日付や受講生番号、正式名称の注記などは、目立たせる必要のない言葉です。受講生番号の記載は、元々求められていませんでした。

　このような検討の結果、次のような改善案をつくりました。原文に比べるとスッキリし、一目で主題が分かるようになりました。

改善 ▶

```
                                          ＊＊＊＊年＊月＊日
「ビジネス文章講座」演習問題


            「Ａ市図書館活用キャンペーン」への提言

                                                 ＊＊＊＊
```

　昔ある編集者から、「ゴシック文字は、短いキーワードや小見出しなどに使うと効果的だ」と教えられ、なるほどと納得したことがありました。

　アンダーラインも、ごく限られた言葉にのみ引くと効果的ですが、たくさんの言葉に引くと、うるさくなってしまいます。

　仕事や学業の上で、数表の含まれた文書を作成する機会も多いと思います。

　その際に、すべてのマスに縦横にびっしり罫線を引く人がいますが、その罫線も一種のノイズになってしまいます。罫線が目立ち過ぎて、文字や数字がその中に埋もれてしまうからです。

　次のページの例のように、罫線は要所のみに入れれば、文字や数字が読みやすくなります。

■2015年の都道府県別推計人口

(1,000人)

	都道府県	2005年	2015年	増減	%
北海道		5,628	5,360	-268	-4.8
東北	青森県	1,437	1,330	-107	-7.4
	岩手県	1,385	1,292	-93	-6.7
	宮城県	2,360	2,291	-69	-2.9
	秋田県	1,146	1,037	-109	-9.5
	山形県	1,216	1,134	-82	-6.7
	福島県	2,091	1,976	-115	-5.5
	小計	15,263	14,420	-843	-5.5
関東	茨城県	2,975	2,873	-102	-3.4
	栃木県	2,017	1,978	-39	-1.9
	群馬県	2,024	1,961	-63	-3.1
	埼玉県	7,054	7,035	-19	-0.3
	千葉県	6,056	6,087	31	0.5
	東京都	12,577	13,059	482	3.8
	神奈川県	8,792	9,018	226	2.6
	小計	41,495	42,011	516	1.2
	(中略)				
四国	徳島県	810	762	-48	-5.9
	香川県	1,012	963	-49	-4.8
	愛媛県	1,468	1,380	-88	-6.0
	高知県	796	742	-54	-6.8
	小計	4,086	3,847	-239	-5.8
九州	福岡県	5,050	4,977	-73	-1.4
	佐賀県	866	829	-37	-4.3
	長崎県	1,479	1,379	-100	-6.8
	熊本県	1,842	1,766	-76	-4.1
	大分県	1,210	1,154	-56	-4.6
	宮崎県	1,153	1,095	-58	-5.0
	鹿児島県	1,753	1,656	-97	-5.5
	沖縄県	1,362	1,416	54	4.0
	小計	14,715	14,272	-443	-3.0
全国		127,768	125,430	-2,338	-1.8

国立社会保障・人口問題研究所『日本の都道府県別将来推計人口』
(平成19年5月推計) より

第7章のまとめ

- 句点は、文末のみに打つ。
- セリフや考えを「　」でくくる。
- カッコを閉じる前の句点は、省略する。
- カッコとカッコの間の読点は、省略する。
- 漢字本来の意味から離れた言葉は、仮名で書く。
- 横書きでも、漢数字を使う言葉がある。
- 行間を適切にあける。
- 周囲のスペースをゆったり取る。
- 段落後のスペースや、1行スペースを活かす。
- ムダな言葉のみならず、記号、罫線、アンダーラインも少なくする。

　第1章から第6章までで、「短く書く」「正しい表現で、明確に書く」「分かりやすく、簡潔に書く」「読み手の気持ちになって、共感を呼ぶように書く」などと強調してきましたが、そのような文章が読みやすく表記され、レイアウトされていなければ、十分な「理解」と「共感」は得られません。この問題にも気を配りましょう。

コラム7

「訓読み」の融通無碍さ加減

　韓国語は、語順や文法的な構造が日本語に酷似しています。「てにをは」の微妙な使い分け（たとえば「は」と「が」の使い分け）までそっくりです。

　また日本語と同じように、中国から伝わった漢語と、韓国の固有語が混じった構造をしています。漢語の比率もほぼ同じで、「能力」「努力」「成功」「失敗」などのように、漢語の90％は日本と同じものが使われています。

　漢字をハングル文字で書いても、文字数がまったく変わらないこともあって、今はすべてハングル文字で表記することが多くなりましたが、実質的にはそこにたくさんの漢語が書かれているのです。

　それだけ酷似している両国語ですが、漢字表記の面で1つ決定的に違う点があります。日本語は「訓読み」をするようになりましたが、韓国語ではそれをせず、漢字は漢語のみに使うという原則を貫きました。

　日本語の訓読みとは、漢字が中国や韓国から入ってきたときに、大和言葉に意味の近い漢字を当てはめて、「見る、歩く、美しい、早い」などと書いたものです。

　「みる」という大和言葉には、「見る、観る、診る、看る、視る」などと、いろいろな漢字を当てることもあります。つまり、訓読みにどの漢字を当てるかは、慣行でしかありません。明治時代の小説などを

読めば、いかに融通無碍(ゆうずうむげ)であったかが分かります。

しかしながら今では、訓読みの表記方法は次第に一定のものに収斂(しゅうれん)し、それが定着してきました。そこで、文章添削の際によく指摘する紛らわしい訓読みの例をあげてみます。

「会社に勤める」「課長を務める」「売上向上に努める」

順に、「組織に勤務する」「役割を引き受ける」「努力する」という意味です。

「答える」と「応える」

質問には「答える」ですが、期待や要請には「応える」です。

「暖かい」と「温かい」

「寒い」の反対が「暖かい」、「冷たい」の反対が「温かい」です。

「使う」と「遣い」

『毎日新聞用語集』には、「遣」は「限定用語。主として名詞形」とあり、次のような例が示されています。

息遣い、上目遣い、仮名遣い、金遣い、気遣い、小遣い、言葉遣い、無駄遣い……。

このような特定の名詞表現に限って「遣」を使うことが慣習化されています。

おわりに

　この本で説いてきた「良い文章 = 明快な文章」とは、何でしょうか。

　第一にそれは、「言いたいことが明確な文章」です。これが出発点です。言いたいことが自分でもよく分かっていないときに、表現の工夫をしても意味がありません。

　第二にそれは、「頭を使わなくても、読むそばからスラスラ分かる文章」です。文章は、「最後まで読んで考えれば分かる」ではいけません。ましてや何を言いたいのだろうかと、読み手が頭をひねるようなことがあってはなりません。

　読むそばから楽に理解できて、その後に読み手の中にさまざまな思いがふくらんでくれば理想的です。つまり、読んでいるときには頭を使わず、読んだ後に頭を使いたくなる文章が良い文章です。

　第三にそれは、「簡潔な文章」です。ぜひとも伝えたいメッセージの周りに、余計なコロモがたくさん付いている文章は、大変に困った文章です。伝えたいことが、ノイズの中に埋もれてしまうからです。

　この本で説明した77のヒントは、主としてこの3つの条件を満たすためのものでした。

　良い文章を書くための基本的な資質も、3つあると思います。

　第一に、「自分の頭で感じたり、考えたりする習慣」です。誰でも毎日、朝起きてから夜寝るまで、さまざまな経験をしながら、いろいろなことを感じたり考えたりするように元々できています。

しかし、いつの間にか自分の実感をどこかに置き忘れてきて、他人の言葉を借りて生活している人も少なくありません。それでは、自分の言いたいことが明確になるはずがありません。

　第二に、「相手の身になって感じたり、考えたりする想像力」です。このことは、本書の中で一貫して強調してきました。自分の考えを明確にしてそれを表現した後で、一旦、自分自身のことはすべて忘れて、白紙で初めてその文章を読む人になりきってみることが必要です。つまり、いい意味での二重人格を持つことが求められます。それは、訓練によってかなりの程度までできるようになります。

　第三に、「健全な言語感覚を持つこと」です。文章力の根幹を占めるのは、考えを組み立てる力であり、相手を理解する力ですが、最後に出番がくるのが的確な言語表現力です。これなくしては、文章になりません。

　読者の皆さんの毎日の言語生活（聞いたり、話したり、読んだり、書いたりすること）が、仕事の上でも、勉強の上でも、私生活の上でも、これからますます豊かなものになることを祈っています。

　　　　　　　　　　　　　　　　　　　　　　　　　　　著者

阿部 紘久（あべ　ひろひさ）

東京大学卒。帝人(株)で、宣伝企画、国際事業企画、開発企画、経営企画に携わった。その間に、タイ、韓国、イタリアの合弁会社に10年間勤務。その後、日本にある米国系企業のCEOを務めた。2005年から10年間昭和女子大学で文章指導。いくつかの企業でも指導している。著書に『文章力の基本の基本』『文章力の決め手』(日本実業出版社)、『文章力の基本100題』(光文社)、『シンプルに書く』(飛鳥新社)や、エッセイ集などがある。

文章力の基本
ぶんしょうりょく　　き　ほん

2009年 8月 1日　初版発行
2017年 4月10日　第43刷発行

著 者　阿部紘久 ©H.Abe 2009
発行者　吉田啓二

発行所　株式会社 日本実業出版社　東京都新宿区市谷本村町3-29 〒162-0845
　　　　　　　　　　　　　　　　　大阪市北区西天満6-8-1 〒530-0047
　　　　編集部　☎03-3268-5651
　　　　営業部　☎03-3268-5161　振 替　00170-1-25349
　　　　　　　　　　　　　　　　　http://www.njg.co.jp/

印 刷／堀内印刷　製 本／若林製本

この本の内容についてのお問合せは、書面かFAX (03-3268-0832) にてお願い致します。
落丁・乱丁本は、送料小社負担にて、お取り替え致します。

ISBN 978-4-534-04588-1　Printed in JAPAN

あなたの仕事をワンランクアップさせる本

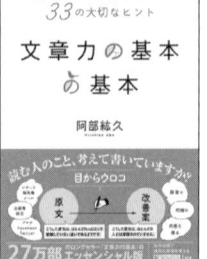

分かりやすく書くための33の大切なヒント
文章力の基本の基本

阿部紘久著
定価 本体1000円（税別）

27万部ベストセラー『文章力の基本』を「最も大事な33のルール」に絞り込だエッセンシャル版。「短く言い切る」「語順に気を配る」など読み手のことを考えた文章の書き方を、「例文 → 改善案」と比較しながらやさしく解説します。

短文から長文まで、もっと伝わる60のテクニック
文章力の決め手

阿部紘久著
定価 本体1400円（税別）

『文章力の基本』が進化し、さらに深く、広く網羅した内容になった決定版。「文章力」の有無を分ける決定的なポイントを、つい気づかずにやってしまうミス（約400の文例）とその改善案という構成でわかりやすく解説します。

まず1分間にうまくまとめる
話し方超整理法

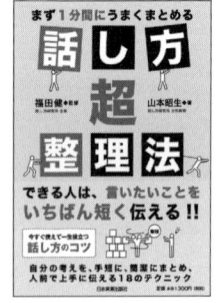

山本昭生著／福田健監修
定価 本体1300円（税別）

自分の考えを手短に簡潔にまとめ、上手にわかりやすく伝えるコツ。1分間話法、3分間話法など、日常のコミュニケーションから、会社での自己紹介、報・連・相、会議、朝礼でのスピーチ、会合での司会進行など、どんな場面もこれでバッチリ‼

定価変更の場合はご了承ください。